elefante

elefante

edição
Tadeu Breda

assistência de edição
Luiza Brandino

preparação
Natalia Engler
Daniela Fernandes Alarcon

revisão
Laura Massunari
Tomoe Moroizumi

projeto gráfico
Leticia Quintilhano

ilustração da capa & diagramação
Denise Matsumoto

capa & direção de arte
Bianca Oliveira

bell hooks

tradução
Stephanie Borges

tudo sobre o amor
novas perspectivas

a primeira carta de amor que escrevi foi para você, assim como este livro foi escrito para falar com você. anthony, você tem sido meu ouvinte mais íntimo. sempre vou te amar.

em cântico de salomão, há um trecho que diz: "encontrei aquele que minha alma ama. me abracei a ele e não o deixarei ir". persistir, conhecer novamente aquele momento de arrebatamento, de reconhecimento, em que podemos encarar um ao outro como realmente somos, despidos de artifícios e fingimentos, nus e sem inibições.

prefácio à edição brasileira
 a prática do amor como potência para a construção de uma nova sociedade
 Silvane Silva, 8

prefácio, 24

introdução
 graça: tocada pelo amor, 28

01. clareza: pôr o amor em palavras, **44**
02. justiça: lições de amor na infância, **58**
03. honestidade: seja verdadeira com o amor, **74**
04. compromisso: que o amor seja o amor-próprio, **92**
05. espiritualidade: o amor divino, **108**
06. valores: viver segundo uma ética amorosa, **122**
07. ganância: simplesmente ame, **138**
08. comunidade: uma comunhão amorosa, **160**
09. reciprocidade: o coração do amor, **178**
10. romance: o doce amor, **198**
11. perda: amar na vida e na morte, **220**
12. cura: o amor redentor, **236**
13. destino: quando os anjos falam de amor, **250**

bibliografia selecionada, 264

sobre a autora, 269

prefácio à edição brasileira

A prática do amor como potência para a construção de uma nova sociedade
Silvane Silva

Escrever este prefácio em meio à pandemia de covid-19, vivendo em isolamento social há quase quatro meses, foi um exercício ao mesmo tempo doloroso e libertador. Em certa altura de *Tudo sobre o amor*, bell hooks diz que, se não pudéssemos fazer mais nada, se por algum motivo a leitura fosse a única atividade possível, isso seria suficiente para fazer a vida valer a pena, porque os livros podem ter uma função terapêutica e transformadora. Particularmente, não tenho dúvidas a respeito disso, pois a leitura sempre teve esse importante papel em minha vida. Alguns textos nos fazem reviver memórias impressas em nosso corpo e espírito e, dessa maneira, têm o poder de nos transformar e curar.

Em uma sociedade que considera falar de amor algo *naïf*, a proposta apresentada por bell hooks ao escrever sobre o tema é corajosa e desafiadora. E o desafio é colocarmos o amor na centralidade da vida. Ao afirmar que começou a pensar e a escrever sobre o amor quando encontrou "cinismo em lugar de esperança nas vozes de jovens e velhos", e que o cinismo é a maior barreira que pode existir diante do amor, porque ele intensifica nossas dúvidas e nos paralisa, bell hooks faz a defesa da prática transformadora do amor, que manda embora o medo e liberta nossa alma. Assim, ela nos convoca a regressar ao amor. Se o desamor é a ordem do dia no mundo contemporâneo, falar de amor pode ser revolucionário. Para compreendermos a proposta da autora e a profundidade de suas reflexões, o primeiro passo deve ser abandonar a ideia de que o amor é apenas um sentimento e passar a entendê-lo como ética de vida. É sabido que bell hooks evidencia em toda a sua obra que o pessoal é político, e este também será o caminho trilhado por ela neste livro, pontuando o quanto nossas ações pessoais relacionadas ao amor implicam uma postura perante o mundo e uma forma de inserção na sociedade. Ou seja: o amor não tem nada a ver com fraqueza ou irracionalidade, como se costuma pensar. Ao contrário, significa potência: anuncia a possibilidade de rompermos o ciclo de perpetuação de dores e violências para caminharmos rumo a uma "sociedade amorosa".

Tudo sobre o amor: novas perspectivas, publicado nos Estados Unidos no ano 2000, é o primeiro livro da chamada Trilogia do Amor, seguido de *Salvação: pessoas negras e o amor*, de 2001, e *Comunhão: a busca feminina pelo amor*, de 2002. bell hooks é o tipo de pensadora que, quando atraída por um assunto, tende a esmiuçá-lo, observá-lo por todos os ângulos e explorá-lo por completo. Se ao longo de toda a sua obra o tema do amor aparece, em diversos momentos, como algo que tem um lugar significativo para nossa vida e cultura, é na Trilogia do Amor que a autora nos apresenta suas teses sobre o amor e, mais do que isso, nos oferece lições práticas de como agir.

Ao descrever as maneiras pelas quais homens e mulheres em geral, e pessoas negras em particular, desenvolvem sua capacidade de amar dentro de uma cultura patriarcal, racista e niilista, bell hooks relaciona sua teoria do amor com os principais problemas da sociedade. Apesar de falar a partir da sociedade estadunidense, suas reflexões servem para nós brasileiros, já que também somos um país que sofre dos males que a autora tanto procura ver superados: racismo, sexismo, homofobia, imperialismo e exploração.

Seguindo os passos de pessoas que ofereceram o amor como arma poderosa de luta e de transformação da sociedade, como Martin Luther King Jr., por exemplo, bell hooks reposiciona o amor como uma força capaz de transformar todas as esferas da vida: a política, a religião, o local de trabalho, o ambiente doméstico e as relações íntimas. Aprofundando as ideias trazidas por Cornel West referentes às "políticas de conversão" para tratar o niilismo presente na sociedade, hooks coloca a ética do amor no centro dessas políticas. E, nessa perspectiva, compreende que o pessoal sobrevive por meio da ligação com o coletivo: é o poder de se autoagenciar (*self-agency*) em meio ao caos e determinar o autoagenciamento coletivo.

Tudo sobre o amor: novas perspectivas procura mostrar como somos ensinados desde a infância a ter suposições equivocadas e falsas em relação ao amor e ressalta o quanto nossa sociedade não considera a importância e a necessidade de aprendermos a amar. Tendemos a acreditar que já nascemos com esse conhecimento, mas bell hooks demonstra que o amor não está dado: ele é construção cotidiana, que só assumirá sentido na ação — o que significa dizer que precisamos encontrar a definição de amor e aprender a praticá-lo.

Em "Clareza: pôr o amor em palavras", primeiro capítulo deste livro, bell hooks afirma que em nossa sociedade o amor costuma servir para nomear tudo, pulverizando seu significado. Nessa confusão em relação ao que queremos dizer quando usamos a palavra "amor" está a origem da nossa dificuldade de amar. Por isso, saber nomear o que é o amor é a condição para que ele exista. Se os dicionários tendem a enfatizar a definição dada ao amor romântico, bell hooks nos mostra que o amor é muito mais que uma "afeição profunda por uma pessoa". A melhor definição de amor é aquela que nos faz pensar o amor como ação — conforme diz o psiquiatra M. Scott Peck, trata-se da "vontade de se empenhar ao máximo para promover o próprio crescimento espiritual ou o de outra pessoa". Nota-se que o espiritual aqui não está vinculado à religião, mas a uma força vital presente em cada indivíduo. Nesse sentido, a afeição seria apenas um dos componentes do amor. Para amar verdadeiramente devemos aprender a misturar vários ingredientes: cuidado, afeição, reconhecimento, respeito, compromisso e confiança, assim como honestidade e comunicação aberta. Uma das contribuições fundamentais trazidas por bell hooks é nos fazer pensar que são as ações que constroem os sentimentos. Dessa maneira, ao pensar o amor como ação, nos vemos obrigados a assumir a responsabilidade e o comprometimento com esse aprendizado.

O segundo capítulo, "Justiça: lições de amor na infância", demonstra que o impacto do patriarcado e a forma da dominação masculina sobre mulheres e crianças são barreiras para o amor, algo pouco presente na bibliografia sobre o tema. Nós aprendemos sobre o amor na infância, e quer nossa família seja chamada funcional ou disfuncional, sejam nossos lares felizes ou não, são eles as nossas primeiras escolas de amor. Neste capítulo, bell hooks levanta a importante discussão sobre a necessidade de valorizar, respeitar e assegurar os direitos civis básicos das crianças. Caso contrário, a maioria delas não conhecerá o amor, tendo em vista que não existe amor sem justiça. Nesse ponto, a autora demonstra o quanto o lar da família nuclear é uma esfera institucionalizada de poder que pode ser facilmente autocrática e fascista. Dessa maneira, continua ela, se queremos uma sociedade eticamente amorosa, precisamos desmascarar o mito de que abuso e negligência podem coexistir com amor. Onde há abuso, a prática amorosa fracassou. Não se pode concordar que a punição severa seja uma forma aceitável de se relacionar com as crianças. "O amor é o que o amor faz", e é nossa responsabilidade dar amor às crianças, reconhecendo que elas não são propriedades e têm direitos que nós precisamos garantir.

No terceiro capítulo, "Honestidade: seja verdadeira com o amor", bell hooks afirma que a verdade é o coração da justiça. Somos ensinados desde a infância que não devemos mentir, que devemos jogar limpo. Entretanto, na prática, quem diz a verdade normalmente é punido, reforçando a ideia de que mentir é melhor. Homens mentem para agradar às mães e depois às mulheres. Mentir e se dar bem é um traço da masculinidade patriarcal. Meninos e homens são encorajados a todo momento a fazer o que for preciso para manter sua posição de controle. Por sua vez, as mulheres também mentem para os homens como forma de agradar e manipular.

Vivemos em uma sociedade em que a cultura do consumo também encoraja a mentira. A publicidade é um dos maiores exemplos disso. As mentiras impulsionam o mundo da publicidade predatória e o desamor é bênção para o consumismo. Além disso, manter as pessoas em um estado constante de escassez fortalece a economia de mercado. Dessa maneira, hooks enfatiza que a tarefa de sermos amorosos e construirmos uma sociedade amorosa implica reafirmar o valor de dizer a verdade e, portanto, estarmos dispostos a ouvir as verdades uns dos outros. A confiança é o fundamento da intimidade.

Partindo do pressuposto de que não é fácil amar a si mesmo, no quarto capítulo, "Compromisso: que o amor seja amor-próprio", bell hooks nos ensina que, quando somos positivos, não só aceitamos e afirmamos quem somos mas também somos capazes de afirmar e aceitar os outros. E o movimento feminista ajudou as mulheres a compreender o poder pessoal que se adquire com uma autoafirmação positiva. Quando temos de fazer um trabalho que odiamos, por exemplo, isso ataca a nossa autoestima e autoconfiança. O trabalho, quando percebido como um fardo, por se realizar em empregos ruins em vez de aprimorar a autoestima, deprime o espírito. Como lidar com essa questão se a maioria de nós não pode fazer o trabalho que ama? Um dos modos de experimentar satisfação seria nos comprometermos totalmente com o trabalho a ser realizado, seja ele qual for. Trazer o amor para o ambiente laboral pode criar a transformação necessária para tornar qualquer trabalho que façamos um meio de expressarmos o nosso melhor. Quando trabalhamos com amor, renovamos nosso espírito, e essa renovação é um ato de amor-próprio que alimenta nosso crescimento. E não devemos confundir amor-próprio com egoísmo ou egocentrismo. O amor-próprio é a base de nossa prática amorosa, pois, ao dar amor a nós mesmos, concedemos ao nosso ser interior a oportunidade de ter amor incondicional. É o amor-próprio que garante que nossos esforços amorosos com as outras pessoas não falhem.

No quinto capítulo, "Espiritualidade: o amor divino", hooks chama a atenção para o fato de que a crise na vida estadunidense não poderia ser causada por falta de interesse na espiritualidade, tendo em vista que a imensa maioria das pessoas diz seguir alguma religião. Isso indicaria que a vida espiritual é algo importante nessa sociedade. No entanto, esse interesse é cooptado pelas forças do materialismo e do consumismo hedonista, traduzido na lógica do "compro, logo sou". A religião "organizada" falhou em satisfazer a "fome espiritual", e as pessoas procuram preencher esse vazio com o consumismo. A autora questiona: "Imagine como nossa vida seria diferente se todos os indivíduos que se dizem cristãos, ou que alegam serem religiosos, servissem de exemplo para todos, sendo amorosos". A atualidade desse questionamento para o Brasil de hoje é desconcertante, tendo em vista os milhões de ditos "cristãos" que, ao invés de amar o próximo como a si mesmos, destilam ódio e preconceito.

"Valores: viver segundo uma ética amorosa" é o título do capítulo 6, no qual bell hooks reforça que o despertar para o amor só pode acontecer se nos desapegarmos da obsessão por poder e domínio. Para nos tornarmos pessoas mais alegres e mais realizadas, precisamos adotar uma ética amorosa, pois nossa alma sente quando agimos de maneira antiética, rebaixando o nosso espírito e desumanizando os outros. Viver dentro de uma ética amorosa é uma escolha de se conectar com o outro. Isso significa, por exemplo, se solidarizar com pessoas que vivem sob o jugo de governos fascistas, mesmo estando em um país democrático. Neste ponto, hooks retoma a afirmação de Cornel West de que uma "política de conversão" restaura a sensação de esperança. E reafirma que abraçar a ética amorosa significa inserir todas as dimensões do amor — "cuidado, compromisso, confiança, responsabilidade, respeito e conhecimento" — em nossa vida cotidiana.

"Ganância: simplesmente ame", o sétimo capítulo do livro, demonstra que o isolamento e a solidão são as causas centrais da depressão e do desespero. O materialismo cria um mundo de narcisismo no qual consumir é a coisa mais importante. Nessa reflexão, a autora analisa como a participação ativa dos Estados Unidos em guerras globais colocou em questão o compromisso desse país com a democracia, sacrificando a visão de liberdade, amor e justiça em nome do materialismo e do dinheiro. Ela aborda também o desespero que tomou conta das pessoas quando líderes que lutavam pela paz e pela justiça foram assassinados, no final da década de 1960. Nesse momento, as pessoas perderam a conexão com a comunidade, e a atenção voltou-se para a ideia de ganhar dinheiro, o máximo possível. Os líderes passaram a ser os ricos e os famosos, as estrelas do cinema e da música. As igrejas e os templos, que antes eram espaços de reunião da comunidade, com o advento da teologia da prosperidade, tornaram-se lugares onde a ética materialista é respaldada e racionalizada. O que vale a partir de então é a cultura do consumo desenfreado. Pessoas também são tratadas como objetos e são esses os valores que passam a orientar as atitudes em relação ao amor. Isso se reflete também nas políticas públicas, como no fato de os Estados Unidos serem um dos países mais ricos do mundo e não possuírem um sistema universal de saúde que possa oferecer serviços aos menos favorecidos. Dessa maneira, bell hooks convida as pessoas à escolha de viver com simplicidade. Isso necessariamente intensifica a nossa capacidade de amar, nos ensina a praticar a compaixão e afirma nossa conexão com a comunidade.

O oitavo capítulo, "Comunidade: uma comunhão amorosa", afirma, conforme as palavras de M. Scott Peck, que "nas comunidades e por meio delas reside a salvação do mundo". Para desenvolver suas reflexões sobre essa questão, bell hooks lembra que o capitalismo e o patriarcado, juntos, como estrutura de dominação, produziram o afastamento das famílias nucleares de suas respectivas famílias estendidas. Por essa razão, aumentaram os abusos de poder no ambiente familiar, pois a família estendida é um lugar onde podemos aprender o poder da comunidade. Outra possibilidade importante dessa experiência de comunidade é a amizade, que para muitos é o primeiro contato com uma "comunidade carinhosa". hooks reforça que amar em amizades nos fortalece de tal maneira que nos permite levar esse amor para as interações familiares e românticas. E, embora seja comum afrouxarmos os laços de amizade quando criamos laços românticos, quanto mais verdadeiros forem nossos amores românticos, menos teremos de nos afastar das nossas amizades, pois "a confiança é a pulsação do verdadeiro amor". Ao nos engajarmos em uma prática amorosa, podemos estabelecer as bases para a construção de uma comunidade com desconhecidos. Esse amor que criamos em comunidade permanece conosco aonde quer que vamos, diz hooks.

"Reciprocidade: o coração do amor", o nono capítulo, se inicia com os dizeres: "O amor nos permite adentrar o paraíso". Para falar da construção amorosa entre casais, a autora parte dos equívocos ocorridos nos seus dois relacionamentos afetivos mais intensos, de um lado devido à falta de definição do que seria o amor e, de outro, pela confusão de esperar receber do companheiro o amor que não recebeu da família. Aponta que, mesmo em relacionamentos não heterossexuais, a tendência é o casal assumir uma lógica de que um dos parceiros deve sustentar o amor e o outro, apenas o seguir. Acrescenta ainda o fato de que as mulheres são encorajadas pelo pensamento patriarcal a acreditar que deveriam ser sempre amorosas, porém, isso não significa dizer que estão mais capacitadas do que os homens para fazer isso. Por essa razão, é comum que mulheres procurem livros de autoajuda para aprender a amar e manter o relacionamento. No entanto, grande parte desses livros normalizam o machismo e ensinam a manipular, a jogar um jogo de poder que nada tem a ver com o amor.

No décimo capítulo, "Romance: o doce amor", bell hooks afirma categoricamente que poucas pessoas entram num relacionamento romântico possuindo a capacidade de realmente receber amor. Isso porque criamos envolvimentos amorosos que estão condenados a repetir os nossos dramas familiares. Comentando sobre o romance *O olho mais azul*, de Toni Morrison, ela diz que "a ideia de amor romântico é uma das ideias mais destrutivas na história do pensamento humano". Esse amor que se dá num "estalo", num "clique", que não necessita de construção e depende apenas de "química" atrapalha o nosso caminho para o amor. O amor é tanto uma intenção como uma ação. Nossa cultura valoriza demais o amor como fantasia ou mito, mas não faz o mesmo em relação à arte de amar. Ao não atingirem esse mito, as pessoas se decepcionam. No entanto, é preciso entender que essa decepção é pelo amor romântico não alcançado. O amor verdadeiro, quando buscado, nem sempre nos levará ao "felizes para sempre" e, mesmo se o fizer, é preciso que saibamos: amar dá trabalho, não é essa história perfeita e pronta dos contos de fadas.

Em "Perda: amar na vida e na morte", o décimo primeiro capítulo, a autora trata do medo coletivo da morte, apresentando-o como uma doença do coração para a qual a única cura é o amor. Da mesma maneira, somos incapazes de falar sobre a nossa necessidade de amar e sermos amados. Por medo de que nos vejam como fracos, raramente compartilhamos nossos pensamentos sobre a mortalidade e a perda. É isso que bell hooks nos convida a fazer.

O capítulo 12, "Cura: o amor redentor", nos leva a refletir sobre nossas dores, pois, ainda que tenham nos ensinado o contrário, sofrimentos desnecessários nos ferem. A escolha que temos é não permitir que tais sofrimentos nos deixem cicatrizes por toda a vida. O que faremos dessas marcas está em nossas mãos. O poder curativo da mente e do coração está sempre presente, e nós temos a capacidade de renovar nosso espírito e nossa alma. No entanto, é bastante difícil conseguirmos nos curar em isolamento: a cura é um ato de comunhão. bell hooks diz que precisamos conhecer a compaixão e nos envolver num processo de perdão para nos livrarmos de toda bagagem que carregamos e que impede a nossa cura. O perdão intensifica nossa capacidade de apoiarmos uns aos outros. Fazer as pazes com nós mesmos e com os outros é o presente que a compaixão e o perdão nos oferecem. A autora nos ensina que ser positivo e viver em um estado permanente de esperança renova o espírito e que, quando reavivamos nossa fé na promessa do amor, a esperança se torna nossa cúmplice.

O capítulo 13, "Destino: quando os anjos falam de amor", fecha o livro apresentando a relação de bell hooks com os anjos. Anjos são aqueles que trazem as notícias que darão alívio ao nosso coração. São os guardiães do bem-estar da alma. Revelam nosso desejo coletivo de regressar ao amor. A autora relata que as primeiras histórias de anjos lhe foram contadas ainda na infância, quando frequentava a igreja, onde aprendeu que os anjos eram consoladores sábios nos momentos de solidão. E, conforme foi crescendo, hooks passou a descobrir muitos anjos em seus autores preferidos, cujos livros permitem entender a vida com mais complexidade. Ela finaliza dizendo que, depois de tanto ficar sozinha, no escuro do quarto, agarrada à metafísica do amor, tentando entender seu mistério, pôde finalmente alcançar uma nova visão do amor. E a essa prática espiritual disciplinada ela chama de "prática de abrir o coração". Foi isso que desde então a levou a seguir o caminho do amor e a "falar cara a cara com os anjos".

Na teoria sobre o amor de bell hooks é possível perceber inspirações das igrejas cristãs negras do sul dos Estados Unidos e também da filosofia budista, especialmente com base no mestre zen vietnamita Thich Nhat Hanh, cuja atuação disseminou o conceito de "budismo engajado", que diz respeito a somar a observação dos preceitos básicos do budismo com uma prática cotidiana socialmente comprometida. Ao lermos *Tudo sobre o amor*, podemos encontrar também diversos pontos de contato com as ideias trazidas pela filósofa burquinense Sobonfu

Somé, em seu livro *O espírito da intimidade: ensinamentos ancestrais africanos sobre maneiras de se relacionar*, sobretudo no que se refere ao conceito de comunidade. Nesse sentido, ao propor que as transformações desejadas para a sociedade ocorram por meio da prática do amor, bell hooks nos afasta dos paradigmas eurocêntricos e coloniais que construíram a sociedade ocidental, baseada em exploração, injustiça, racismo e sexismo, e (re)direciona o nosso pensamento e a nossa prática rumo à ancestralidade.

A tradução deste livro, trazendo a ideia do amor como transformação política, chega num momento muito oportuno e necessário. Por aqui, essa semente já brotou. Existem pessoas pensando o amor para além do "amor romântico", como o pastor Henrique Vieira, que destaca a força poderosa do amor para a destruição de preconceitos e a construção de uma sociedade mais justa em seu livro *O amor como revolução*, ou como o professor Renato Noguera, especialista em estudos africanos, que se dedica a produzir reflexões sobre o amor e é autor do livro *Por que amamos: o que os mitos e a filosofia têm a dizer sobre o amor*. Nesse caminho segue também a pensadora Carla Akotirene que, ancorada nos estudos do feminismo negro e na ancestralidade, discute o papel político das afetividades, inserindo no debate a urgência do combate à violência doméstica. Pesquisadores voltados para a filosofia africana tem (re)construído conhecimentos que dialogam diretamente com o pensamento de bell hooks em sua Trilogia do Amor. Exemplos disso são os trabalhos de Katiúscia Ribeiro e Wanderson Nascimento. Este último tem um artigo escrito em parceria com Vinícius da Silva, com o título "Políticas do amor e sociedades do amanhã". Sendo assim, acredito que as lições de bell hooks sobre o amor, apresentadas em português pela Editora Elefante, servirão para difundir e fortalecer ainda mais essa construção. O futuro é ancestral.

Silvane Silva é doutora em história social pela Pontifícia Universidade Católica de São Paulo (PUC-SP) com a tese *O protagonismo das mulheres quilombolas na luta por direitos em comunidades do Estado de São Paulo (1988-2018)*. Em 2018, participou do Programa de Incentivo Acadêmico Abdias do Nascimento como pesquisadora visitante no Centro de Estudos Latino-Americanos da Universidade da Flórida, nos Estados Unidos. É co-organizadora do livro *Narrativas quilombolas: dialogar, conhecer, comunicar* (Imprensa Oficial do Estado de São Paulo, 2017). Atua como professora e pesquisadora nas temáticas história e cultura afro-brasileira, educação para relações étnico-raciais e educação escolar quilombola. É pesquisadora do Centro de Estudos Culturais Africanos e da Diáspora (Cecafro) da PUC-SP e integrante do Grupo de Estudos em Educação da Faculdade de Educação da Universidade de São Paulo (USP).

prefácio

Quando eu era criança, tinha clareza de que não valia a pena viver se não conhecêssemos o amor. Quem me dera pudesse dizer que atingi essa consciência por causa do amor que sentia. Foi sua falta que me fez saber o quanto ele é importante. Fui a primeira filha do meu pai. Assim que nasci, fui acalentada e tratada com gentileza, de modo a me sentir querida neste mundo e em minha casa. Até hoje não consigo me lembrar do momento em que esse sentimento de ser amada me deixou. Só sei que, um dia, eu já não era preciosa. Aqueles que inicialmente me amavam se afastaram. A ausência de seu reconhecimento e de sua atenção perfurou meu coração e me infligiu uma dor tão profunda que fiquei zonza.

O luto e a tristeza me esmagaram. Eu não sabia o que tinha feito de errado. E, por mais que eu tentasse, não conseguia consertar as coisas. Nenhuma outra relação curou a dor daquele primeiro abandono, daquele primeiro banimento do paraíso do amor. Durante anos vivi uma vida suspensa, presa ao passado, incapaz de seguir em direção ao futuro. Como qualquer criança ferida, só queria voltar no tempo e estar naquele paraíso outra vez, naquele momento de arrebatamento do qual me lembrava, em que me senti amada, em que senti pertencimento.

Nunca podemos voltar. Sei disso agora. Podemos seguir em frente. Podemos encontrar o amor pelo qual nosso coração anseia, mas não antes de nos desapegarmos do luto em relação ao amor perdido há tanto tempo, quando éramos pequenos e não tínhamos voz para expressar os desejos de nosso coração. Olhando para trás, descobri que todos os anos da minha vida em que eu pensava estar em busca do amor foram simplesmente tentativas de recuperar o que havia perdido, voltar ao primeiro lar, regressar ao arrebatamento do primeiro amor. Eu não estava realmente pronta para amar e ser amada no presente. Ainda estava de luto — apegada ao coração partido da meninice, a conexões desfeitas. Quando o luto acabou, fui capaz de amar novamente.

Despertei do meu estado de transe e fiquei atordoada ao descobrir que o mundo em que eu vivia, o mundo do presente, já não era um mundo aberto ao amor. E percebi que tudo o que eu ouvia ao meu redor evidenciava que o desamor tinha se tornado a ordem do dia. Sinto nosso país se afastando do amor com a mesma intensidade que senti o abandono do amor na infância. Com esse afastamento, nos arriscamos a penetrar em um quadro de selvageria de espírito tão intensa que talvez jamais encontremos o caminho de volta. Escrevo sobre o amor para dar testemunho do perigo desse movimento e também para convocar um regresso ao amor. Redimido e recuperado, ele nos leva de volta a uma promessa de vida eterna. Quando amamos, podemos deixar nosso coração falar.

introdução
graça: tocada pelo amor

É possível falar diretamente com o nosso coração. A maioria das culturas mais antigas sabe disso. Podemos de fato conversar com o nosso coração como se ele fosse um bom amigo. A vida moderna se tornou tão atribulada com os afazeres e pensamentos diários que perdemos essa arte essencial de reservar um tempo para conversar com o nosso coração.

— Jack Kornfield

Na minha cozinha, estão penduradas quatro fotografias de um grafite que vi pela primeira vez num canteiro de obras, anos atrás, enquanto caminhava para dar aula na Universidade Yale. A frase — "a busca pelo amor continua, mesmo diante das improbabilidades" — estava pintada em cores vivas. Naquela época, recém-separada de um companheiro depois de quase quinze anos juntos, eu era frequentemente soterrada por um luto tão profundo que parecia que um imenso mar de dor carregava meu coração e minha alma. Dominada pela sensação de ser arrastada para debaixo d'água, de me afogar, procurava constantemente âncoras que me mantivessem na superfície, que me puxassem em segurança de volta para a margem. A frase nos tapumes da construção, junto a desenhos infantis de animais não identificáveis, sempre animava meu espírito. Toda vez que eu passava pelo canteiro de obras, a afirmação da possibilidade do amor se espalhando pelo quarteirão me dava esperança.

Assinada com o primeiro nome de um artista local, a pintura falou ao meu coração. Ao ler aquelas palavras, eu tinha certeza de que o artista estava passando por uma crise em sua vida, de que já tinha confrontado a perda ou estava diante de sua possibilidade. Na minha cabeça, mantinha conversas imaginárias com ele a respeito do significado do amor. Eu lhe contava que seu grafite divertido havia me ancorado e me ajudado a restaurar a fé no amor. Falava sobre como a promessa de um amor esperando para ser encontrado, um amor pelo qual eu ainda podia esperar, me erguia do abismo em que tinha caído. Meu luto era uma tristeza pesada e desesperadora, causada pela separação de um companheiro de muitos anos, mas, o que é mais importante, era um desespero enraizado no medo de que o amor não existisse, de que não pudesse ser encontrado. Ainda que ele estivesse à espreita por aí, talvez jamais o conhecesse em minha vida. Havia se tornado difícil, para mim, continuar acreditando na promessa do amor quando, para qualquer lugar que eu olhasse, o encantamento do poder ou o terror do medo ofuscavam o desejo de amar.

Um dia, a caminho do trabalho, ansiosa pela meditação diária provocada pela visão do grafite, fiquei chocada ao ver que a construtora havia coberto a pintura com uma tinta branca muito brilhante, sob a qual era possível ver os traços esmaecidos da arte original. Chateada com o fato de que aquilo que tinha se tornado um ritual de afirmação da graça do amor já não estava mais lá para me acolher, contei para todo mundo sobre a minha decepção. Alguém espalhou o rumor de que o grafite tinha sido coberto de branco porque as palavras eram uma referência a pessoas vivendo com HIV e de que o artista poderia ser gay. Talvez. É igualmente provável que os homens que espalharam tinta na parede tenham se sentido ameaçados por essa confissão pública do desejo de ser amado — um desejo tão intenso que não apenas precisava ser verbalizado, mas também era deliberadamente buscado.

Depois de muito procurar, localizei o artista e conversei com ele pessoalmente sobre o significado do amor. Falamos sobre a forma como a arte pública pode ser um veículo para compartilhar pensamentos de afirmação da vida. E nós dois expressamos nosso pesar e nossa contrariedade com o fato de a construtora ter coberto insensivelmente uma mensagem de amor tão poderosa. Para que eu me lembrasse dos muros, ele me deu fotografias do grafite. Desde que nos conhecemos, em todos os lugares onde morei, mantive as fotos sobre a pia da cozinha. Todos os dias, quando bebo água ou pego um prato no armário, paro diante desse lembrete de que todos ansiamos por amor — todos o buscamos —, mesmo quando não temos esperança de que ele possa ser de fato encontrado.

•••

Não há muitos debates públicos a respeito do amor em nossa cultura hoje. No máximo, a cultura popular é o domínio em que nosso desejo por amor é mencionado. Filmes, músicas, revistas e livros são os locais para os quais nos voltamos para ver expressos nossos anseios amorosos. No entanto, não se trata daquele discurso de afirmação da vida dos anos 1960 e 1970, que nos instava a acreditar que "All You Need Is Love".[1] Atualmente, as mensagens mais populares são as que declaram a insignificância do amor, sua irrelevância. Um exemplo evidente dessa mudança cultural é o tremendo sucesso alcançado pela canção de Tina Turner cujo título declara ousadamente: "What's Love Got to Do With It" [O que o amor tem a ver com isso?]. Fiquei triste e chocada quando entrevistei uma *rapper* bem conhecida, pelo menos vinte anos mais nova que eu e que, perguntada sobre o amor, respondeu com um sarcasmo cortante: "Amor: o que é isso? Nunca tive amor algum na minha vida".

A cultura jovem de hoje é cínica em relação ao amor. E esse cinismo vem do sentimento dominante de que o amor não pode ser encontrado. Em *Quando tudo não é o bastante*, Harold Kushner escreve sobre essa preocupação:

> Temo que estejamos criando uma geração inteira de jovens que crescerão com medo de amar, com medo de se entregar completamente a outra pessoa, porque terão visto quanto dói correr o risco de amar e não dar certo. Temo que eles cresçam procurando intimidade sem risco, prazer sem investimento emocional significativo. Eles terão tanto medo da dor da decepção que renunciarão às possibilidades do amor e da alegria.

---

[1]. Título de uma celebrada canção dos Beatles. Em tradução livre: "O amor é tudo de que você precisa". [N.T.]

Jovens são cínicos em relação ao amor. No fim das contas, o cinismo é uma grande máscara para um coração decepcionado e traído.

Quando viajo pelo país dando palestras sobre como acabar com o racismo e o machismo, o público, especialmente os jovens, fica agitado quando falo sobre o papel do amor em qualquer movimento por justiça social. Todos os grandes movimentos por justiça social de nossa sociedade têm enfatizado fortemente uma ética do amor. No entanto, os jovens continuam relutantes em abraçar a ideia do amor como uma força transformadora. Para eles, o amor é para os ingênuos, os fracos, os românticos incorrigíveis. Sua atitude se espelha na dos adultos, aos quais se dirigem pedindo explicações. Como porta-voz de uma geração desiludida, em *Bitch: In Praise of Difficult Women* [Puta: um elogio a mulheres difíceis], Elizabeth Wurtzel afirma: "Nenhuma de nós está ficando melhor em amar, estamos é ficando com mais medo. Para começo de conversa, não nos ensinaram a ser hábeis, e as escolhas que fazemos tendem apenas a reforçar a sensação de que o amor é inútil e sem esperança". Suas palavras ecoam tudo que costumo ouvir de uma geração mais velha a respeito do amor.

Ao falar de amor com pessoas da minha geração, descobri que elas ficavam nervosas ou assustadas, especialmente quando eu comentava que não me sentia amada o suficiente. Em diversas ocasiões em que falei de amor com amigos, eles me aconselharam a fazer terapia. Entendi que alguns poucos estavam simplesmente cansados da minha insistência na questão e achavam que se eu fizesse terapia eles teriam uma folga. No entanto, a maioria ficava apavorada em relação ao que poderia ser revelado em qualquer investigação sobre o significado do amor na vida deles.

Toda vez que uma mulher solteira por volta dos quarenta anos introduz na conversa a questão do amor, vem à tona, repetidamente, a suposição, enraizada no pensamento machista, de que ela está "desesperada" por um homem. Ninguém pensa que ela está apenas intelectualmente interessada no assunto. Ninguém pensa que ela está rigorosamente envolvida numa empreitada filosófica na qual está se aventurando a entender o significado metafísico do amor na vida cotidiana. Não: ela é vista apenas como alguém em busca de uma "atração fatal".

A decepção e uma sensação persistente de coração partido me levaram a começar a pensar mais profundamente no significado do amor em nossa cultura. Meu desejo de encontrar o amor não me fez perder meu senso de razão nem de perspectiva; ele me incentivou a pensar mais, a falar de amor e a pesquisar o tema em textos populares e também em estudos mais sérios. Quando me debrucei sobre obras de não ficção a respeito do amor, me surpreendi ao descobrir que a grande maioria dos livros "reverenciados", aqueles usados como referência, e mesmo dos livros populares de autoajuda, havia sido escrita por homens. Durante toda a minha vida, pensei no amor como um tópico que as mulheres contemplam com maior intensidade e vigor que qualquer outra pessoa no planeta. Ainda acredito nisso, embora as elaborações visionárias das mulheres sobre o assunto ainda precisem ser levadas tão a sério quanto os pensamentos e os escritos dos homens. Ainda que eles teorizem sobre o amor, são as mulheres que o praticam com mais frequência. A maioria dos homens sente que recebe amor e, portanto, sabe o que é ser amado; as mulheres geralmente se sentem num estado constante de anseio, querendo amor, mas sem recebê-lo.

Na cartilha *A Little Book on Love: A Wise and Inspiring Guide to Discovering the Gift of Love* [Um pequeno livro sobre o amor: um guia sábio e inspirador para descobrir a dádiva do amor], do filósofo Jacob Needleman, praticamente todas as principais narrativas de amor comentadas foram escritas por homens. Sua lista de referências importantes não inclui livros escritos por mulheres. Das aulas que tive durante o doutorado em literatura, só consigo me lembrar de uma poeta exaltada como uma alta sacerdotisa do amor, Elizabeth Barrett Browning. Contudo, ela era considerada uma poeta menor. Apesar disso, até os estudantes menos ligados à literatura entre nós conheciam o primeiro verso de seu soneto mais famoso: "How do I love thee? Let me count the ways".[2] Isso foi antes do feminismo. Com o despertar do movimento feminista contemporâneo, a poeta grega Safo se tornou outra consagrada deusa do amor.

Naquela época, em qualquer curso de escrita criativa, os poetas que se dedicavam a poemas de amor eram sempre homens. De fato, o companheiro que deixei depois de muitos anos me cortejou inicialmente com um poema de amor. Ele sempre foi emocionalmente indisponível e não se interessava nem um pouco pelo amor como assunto de conversas nem como uma prática do dia a dia, mas acreditava plenamente que tinha algo significativo a dizer a respeito do tema. Já eu

---

2. Em tradução livre: "Como te amo? Deixa-me contar as maneiras". Este é o verso de abertura do "Soneto 43", que foi traduzido para o português por Manuel Bandeira; no entanto, a versão do poeta desconsidera os primeiros versos para manter a métrica em português. [N.T.]

pensava que todas as minhas tentativas adultas de escrever poemas de amor eram piegas e patéticas. As palavras me faltavam quando eu tentava escrever sobre amor. Meus pensamentos pareciam sentimentais, tolos e superficiais. Quando escrevia poesia ainda menina, sentia a mesma confiança que, na vida adulta, veria apenas nos escritores homens. Quando comecei a escrever poesia, pensava que o amor era o único assunto, a paixão mais importante. O primeiro poema que publiquei, aos doze anos, se chamava "a look at love" [um olhar sobre o amor]. Em algum ponto do caminho, na transformação de menina em mulher, aprendi que fêmeas realmente não tinham nada sério para ensinar ao mundo sobre o amor.

A morte se tornou meu tema. Ninguém ao meu redor, nem professores nem estudantes, duvidava da capacidade de uma mulher de ser séria quando se tratava de pensar e escrever sobre a morte. Todos os poemas de meu primeiro livro estavam ligados à morte e a morrer. Ainda assim, o poema com que abri o livro, "The woman's mourning song" [A canção de luto da mulher], era sobre a perda de alguém amado e a recusa em permitir que a morte destruísse a memória. Contemplar a morte sempre me leva de volta ao amor. Não por acaso, comecei a pensar mais no significado do amor conforme testemunhava a morte de inúmeros amigos, camaradas e conhecidos, muitos deles jovens, partindo de maneira inesperada. Quando me aproximava dos quarenta anos, encarei o câncer, uma ameaça que se tornou um lugar tão comum na vida das mulheres que é praticamente rotineira. Meu primeiro pensamento, enquanto esperava os resultados dos exames, era que eu não estava pronta para morrer porque ainda não tinha encontrado o tipo de amor pelo qual meu coração vinha procurando.

Pouco depois do fim dessa crise, fui acometida por uma doença grave, que pôs minha vida em risco. Confrontando a possibilidade de morrer, fiquei obcecada com o significado do amor na minha vida e na cultura contemporânea. Meu trabalho como crítica cultural me ofereceu a oportunidade constante de prestar atenção minuciosa a tudo que a grande mídia, especialmente filmes e revistas, nos diz a respeito do amor. Na maior parte dos casos, ela nos diz que todo mundo quer amor, mas que continuamos totalmente confusos em relação à sua prática na vida cotidiana. Na cultura popular, o amor sempre é da ordem da fantasia. Talvez seja por isso que os homens tenham produzido a maioria das teorias acerca do amor. A fantasia tem sido em grande parte domínio deles, tanto na esfera da produção cultural quanto no dia a dia. A fantasia masculina é vista como algo capaz de criar realidade, enquanto a fantasia feminina é tratada como puro escapismo. Portanto, o romance, como gênero literário, é o único domínio em que as mulheres falam de amor com algum grau de autoridade. Entretanto, quando os homens se apropriam do gênero das narrativas românticas, suas obras são muito mais reconhecidas que a escrita das mulheres. Um livro como *As pontes de Madison*[3] é o exemplo supremo. Se essa história de amor sentimental e superficial (que, apesar disso, tem seus momentos altos) tivesse sido escrita por uma mulher, seria improvável que ela se tornasse um sucesso tão grande, cruzando todas as fronteiras do gênero literário.

---

[3]. Romance de Robert James Waller, adaptado para o cinema em 1995 com roteiro de Richard LaGravenese e direção de Clint Eastwood. [N.T.]

É claro que são as mulheres as principais consumidoras de livros sobre o amor. Ainda assim, o machismo sozinho não explica a ausência de mais obras de e sobre o amor escritas por mulheres. Aparentemente, as mulheres estão dispostas e ansiosas a ouvir o que os homens têm a dizer sobre o amor. Mulheres machistas podem achar que já sabem o que outra mulher diria. Esse tipo de leitora pode ter a sensação de que tem mais a ganhar lendo o que homens têm a dizer.

Quando eu era mais nova, lia sobre o amor e nunca pensava a respeito do gênero do autor. Ansiosa para compreender o que queremos dizer quando falamos de amor, não considerava de fato o quanto o gênero molda a perspectiva do escritor. Foi apenas quando comecei a pensar seriamente sobre o tema do amor e a escrever sobre isso que ponderei se mulheres o fazem de forma diferente dos homens.

Ao revisar a bibliografia sobre o amor, percebi que poucos escritores, sejam homens ou mulheres, falam do impacto do patriarcado, da forma como a dominação masculina sobre mulheres e crianças é uma barreira para o amor. *A criação do amor: a grande etapa do crescimento*, de John Bradshaw, é um dos meus livros favoritos sobre o tema. Ele corajosamente tenta estabelecer uma relação entre a dominação masculina (a institucionalização do patriarcado) e a falta de amor nas famílias. Conhecido por chamar a atenção em sua obra para a "criança interior", Bradshaw acredita que acabar com o patriarcado é um passo em direção ao amor. Entretanto, seu livro a respeito do amor nunca recebeu a atenção e o reconhecimento merecidos. Ele não teve a repercussão das obras de homens que escrevem sobre o assunto reafirmando papéis de gênero machistas.

Mudanças profundas na forma como pensamos e agimos precisam acontecer se quisermos criar uma cultura baseada no amor. Homens que escrevem sobre o amor sempre atestam que foram amados. Eles falam a partir desse lugar, isso lhes confere autoridade. Mulheres, com frequência, falam de um lugar de falta, de não terem recebido o amor que desejavam.

Uma mulher que fala de amor é suspeita. Talvez isso ocorra porque tudo que uma mulher esclarecida teria a dizer sobre o amor representaria uma ameaça direta e um desafio às visões que nos foram oferecidas pelos homens. Aprecio o que os escritores homens têm a dizer sobre o amor. Gosto de Rumi e de Rilke, poetas que nos comovem com suas palavras. Homens geralmente escrevem a respeito do amor recorrendo à fantasia, ao que eles imaginam ser possível, e não ao que sabem concretamente. Nós agora temos ciência de que Rilke não escreveu em consonância com o que viveu, de que tantas palavras de amor que nos foram oferecidas por grandes homens falham quando encaramos a realidade. E ainda que a obra de John Gray me desconcerte e me irrite, confesso que li e reli *Homens são de Marte, mulheres são de Vênus*. Contudo, assim como muitos homens e mulheres, quero saber o significado do amor além do reino da fantasia — além do que imaginamos que possa acontecer. Quero conhecer as verdades do amor conforme as vivemos.

Quase todos os livros recentes e populares de autoajuda sobre o amor escritos por homens, títulos como *Homens são de Marte, mulheres são de Vênus* e *Love and Awakening: Discovering the Sacred Path of Intimate Relationship* [Amor e despertar: descobrindo o caminho sagrado da relação íntima], de John Welwood, se apoiam em perspectivas feministas sobre os papéis de gênero. No entanto, em última análise, os autores continuam apegados a um sistema de crenças que sugere a existência de diferenças intrínsecas entre homens e mulheres. Na realidade, todas as evidências concretas indicam que, embora as perspectivas de homens e mulheres frequentemente difiram, tais diferenças são aprendidas, e não inatas ou "naturais". Se fosse verdadeira a ideia de que homens e mulheres são complemente opostos, habitando universos emocionais totalmente diferentes, os homens jamais teriam se tornado as autoridades máximas no amor. Levando em conta os estereótipos de gênero que atribuem às mulheres o papel dos sentimentos e da emotividade, e aos homens o da razão e da não emoção, "homens de verdade" teriam aversão a qualquer conversa a respeito do amor.

Embora sejam considerados "autoridades" no assunto, apenas alguns homens falam abertamente, dizendo ao mundo o que pensam em relação ao amor. No dia a dia, homens e mulheres são relativamente silenciosos quanto ao tema. Nosso silêncio nos protege da incerteza. Queremos conhecer o amor. E temos medo de que o desejo de saber muito sobre ele nos aproxime cada vez mais do abismo do desamor. Embora vivamos numa nação cuja grande maioria dos cidadãos se declara seguidora de credos religiosos que proclamam o poder transformador do amor, muitas pessoas sentem que não fazem a menor ideia de como amar. E praticamente todos sofrem uma crise de fé quando se trata de vivenciar no cotidiano as teorias bíblicas sobre a arte de amar. É bem mais fácil falar de perda do que de amor. É mais fácil articular a dor da ausência do amor que descrever sua presença e seu significado em nossa vida.

Ensinados a acreditar que o lugar do aprendizado é a mente, e não o coração, muitos de nós pensamos que o ato de falar de amor com qualquer intensidade emocional será percebido como fraqueza e irracionalidade. E é especialmente difícil falar de amor quando o que temos a dizer chama a atenção para o fato de que sua falta é mais comum que sua presença, para o fato de que muitos de nós não temos certeza do que estamos dizendo quando falamos de amor ou de como expressá-lo.

Todo mundo quer saber mais sobre o amor. Queremos saber o que significa amar, o que podemos fazer em nosso dia a dia para amarmos e sermos amados. Queremos saber como seduzir aqueles que continuam fiéis à falta de amor e abrir as portas de seu coração para que deixem o amor entrar. A força de nosso desejo não muda o poder de nossa incerteza cultural. Em todos os lugares aprendemos que o amor é importante, mas somos bombardeados por seu fracasso. No domínio da política, entre religiosos, em nossas famílias e em nossa vida afetiva, vemos poucos indícios de que o amor serve de base para decisões, fortalece nosso entendimento da comunidade ou nos mantém juntos. Essa imagem desoladora não altera, de modo algum, a natureza de nosso desejo. Nós ainda temos esperança de que o amor prevalecerá. Nós ainda acreditamos na promessa do amor.

Assim como o grafite proclamava, nossa esperança reside no fato de que muitos de nós continuamos a acreditar no poder do amor. Acreditamos que é importante conhecer o amor. Acreditamos que é importante buscar as verdades do amor. Em inúmeras conversas privadas e debates públicos, dei e ouvi testemunhos sobre o crescente desamor em nossa cultura e sobre o medo que isso desperta no coração de todos. Esse desespero em relação ao amor faz par com o cinismo indiferente que fecha a cara diante de qualquer sugestão de que o amor seja tão importante quanto o trabalho, tão fundamental para a nossa sobrevivência como nação quanto o ímpeto de ter sucesso. Incrivelmente, nosso país, como nenhum outro no mundo, possui uma cultura movida pela busca do amor (esse é o tema de nossos filmes, de nossa música, de nossa literatura), ainda que nos ofereça tão pouca oportunidade de compreender o significado do amor ou de saber como torná-lo real em nossas palavras e ações.

Nosso país é igualmente movido pela obsessão sexual. Não há aspecto da sexualidade que não seja estudado, comentado ou demonstrado. Há tutoriais para todas as dimensões da sexualidade, até para a masturbação. No entanto, não existem escolas para o amor. Todo mundo supõe que saberemos, instintivamente, como amar. Apesar de esmagadoras evidências contrárias, ainda aceitamos que a família é a escola primordial para o amor. Daqueles de nós que não aprendem como amar em família, espera-se que experimentem o amor em relações românticas. Contudo, esse amor geralmente nos escapa. E passamos a vida inteira desfazendo os danos causados pela crueldade, pela negligência e por todas as formas de desamor que vivenciamos em nossa família de origem e em relacionamentos nos quais simplesmente não sabíamos o que fazer.

Só o amor pode curar as feridas do passado. Entretanto, a intensidade de nossos ferimentos frequentemente nos leva a fechar nosso coração, tornando impossível retribuirmos ou recebermos o amor que nos é dado. Para abrirmos nosso coração mais plenamente para o poder e a graça do amor, devemos ousar reconhecer quão pouco sabemos sobre ele na teoria e na prática. Devemos encarar a confusão e a decepção em relação ao fato de que muito do que nos foi ensinado a respeito da natureza do amor não faz sentido quando aplicado à vida cotidiana. Observando a prática do amor no dia a dia, pensando em como amamos e no que é necessário para que a nossa cultura se torne uma cultura em que a presença sagrada do amor possa ser sentida em todo lugar, escrevi esta reflexão.

Como o título *Tudo sobre o amor: novas perspectivas* indica, queremos viver numa cultura em que o amor possa florescer. Ansiamos por acabar com o desamor, tão prevalente em nossa sociedade. Este livro nos diz como regressar ao amor. *Tudo sobre o amor: novas perspectivas* oferece formas novas e radicais de pensar a arte de amar, apresentando uma perspectiva esperançosa e alegre sobre o poder transformador do amor. Ele nos permite saber o que precisamos para amar de novo. Reunindo a sabedoria do amor, ele nos possibilita saber o que devemos fazer para sermos tocados por sua graça.

01.
clareza:
pôr o amor em palavras

Enquanto sociedade, nos sentimos constrangidos pelo amor. O tratamos como se fosse uma obscenidade. Relutamos em admiti-lo. Apenas dizer a palavra nos faz tropeçar e corar. [...] O amor é a coisa mais importante em nossa vida, uma paixão pela qual lutaríamos ou morreríamos, e, contudo, ainda hesitamos em insistir em seu nome. Sem um vocabulário maleável, nem sequer podemos falar ou pensar a seu respeito diretamente.

— Diane Ackerman

Os homens em minha vida sempre foram cautelosos em relação a usar a palavra "amor" levianamente. São precavidos porque acreditam que as mulheres dão importância demais ao amor. E sabem que o que nós pensamos sobre o significado do amor nem sempre é o que eles pensam. Nossa confusão em relação ao que queremos dizer quando usamos a palavra "amor" é a origem de nossa dificuldade de amar. Se nossa sociedade tivesse um entendimento estabelecido quanto ao significado do amor, o ato de amar não seria tão confuso. As definições de amor nos dicionários tendem a enfatizar o amor romântico, definindo-o primeiro e principalmente como "afeição profundamente terna e apaixonada por outra pessoa, especialmente quando há atração sexual". É claro que outras definições informam o leitor que tais sentimentos podem existir em um contexto não sexual. Entretanto, afeição profunda não descreve de forma realmente adequada o significado do amor.

A grande maioria dos livros sobre o amor se esforça para se esquivar de definições claras. Na introdução de *Uma história natural do amor*, Diane Ackerman declara: "O amor é o grande intangível". Algumas linhas depois, ela sugere: "Todo mundo admite que o amor é maravilhoso e necessário, mas ninguém consegue concordar a respeito de sua definição". Timidamente, acrescenta: "Usamos a palavra amor de um jeito tão desleixado que ela pode significar quase nada ou absolutamente tudo". Seu livro não traz qualquer definição que ajude alguém que queira aprender a arte de amar. Contudo, ela não é a única a escrever sobre o amor de forma a turvar o entendimento. Quando o próprio significado da palavra é coberto de mistério, não surpreende o fato de que a maioria das pessoas considere difícil definir a que elas se referem quando usam a palavra "amor".

Imagine quão mais fácil seria aprender como amar se começássemos com uma definição partilhada. A palavra "amor" é um substantivo, mas a maioria dos mais perspicazes teóricos dedicados ao tema reconhece que todos amaríamos melhor se pensássemos o amor como uma ação.[4] Passei anos

---

[4]. Em inglês, a distinção entre o substantivo *love* (amor) e o verbo *to love* (amar) é indicada apenas por uma partícula. É impossível transpor o significado original da frase, pois o português distingue o verbo do substantivo pela vogal temática e pela desinência. [N.T.]

procurando alguma definição significativa da palavra "amor" e fiquei profundamente aliviada quando encontrei uma no clássico de autoajuda do psiquiatra M. Scott Peck, *A trilha menos percorrida: uma nova visão da psicologia sobre o amor, os valores tradicionais e o crescimento espiritual*, publicado originalmente em 1978. Reverberando o trabalho de Erich Fromm, ele define o amor como "a vontade de se empenhar ao máximo para promover o próprio crescimento espiritual ou o de outra pessoa". Para desenvolver a explicação, ele continua: "O amor é o que o amor faz. Amar é um ato da vontade — isto é, tanto uma intenção quanto uma ação. A vontade também implica escolha. Nós não temos que amar. Escolhemos amar". Uma vez que a escolha deve ser feita para alimentar o crescimento, essa definição se opõe à hipótese mais amplamente aceita de que amamos instintivamente.

    Todo mundo que tenha testemunhado o processo de crescimento de uma criança desde o nascimento vê claramente que, antes de conhecer a linguagem, antes de reconhecer a identidade dos cuidadores, bebês reagem ao cuidado afetuoso. Em geral, eles respondem com sons e olhares de prazer. Conforme crescem, reagem aos cuidados carinhosos retribuindo afeto, emitindo sons guturais diante da bem-vinda aparição de um cuidador. A afeição é apenas um dos ingredientes do amor. Para amar verdadeiramente, devemos aprender a misturar vários ingredientes — cuidado, afeição, reconhecimento, respeito, compromisso e confiança, assim como honestidade e comunicação aberta. Aprender definições falhas de amor quando somos bem jovens torna difícil sermos amorosos quando amadurecemos. Começamos comprometidos com o caminho certo, mas seguimos na direção errada. A maioria de nós aprende desde cedo a pensar no amor como um sentimento. Quando nos sentimos profundamente atraídos por alguém, dedicamos energia mental e emocional à pessoa, isto é, a investimos de sentimentos e emoções. Esse processo de investimento em que a pessoa amada se torna importante para nós é chamado "catexia". Em seu livro, Peck enfatiza corretamente que em geral se "confunde a catexia com o amor". Todos sabemos que indivíduos que se sentem conectados a alguém pelo processo de catexia frequentemente insistem que amam a outra pessoa, mesmo magoando-a ou negligenciando-a. O que eles sentem é catexia, mas insistem que é amor.

Quando entendemos o amor como a vontade de nutrir o nosso crescimento espiritual e o de outra pessoa, fica claro que não podemos dizer que amamos se somos nocivos ou abusivos. Amor e abuso não podem coexistir. Abuso e negligência são, por definição, opostos a cuidado. Ouvimos com frequência sobre homens que batem na esposa e nos filhos e então vão ao bar da esquina proclamar apaixonadamente o quanto os amam. Se você conversar com a esposa num dia bom, ela pode insistir que ele a ama, apesar da violência. A grande maioria de nós vem de famílias disfuncionais nas quais fomos ensinados que não éramos bons, nas quais fomos constrangidos, abusados verbal e/ou fisicamente e negligenciados emocionalmente, mesmo quando nos ensinavam a acreditar que éramos amados. Para a maioria das pessoas, é simplesmente ameaçador demais aceitar uma definição de amor que não nos permitiria mais identificar o amor em nossas famílias. Muitos de nós precisamos nos apegar a uma ideia de amor que torne o abuso aceitável ou que ao menos faça parecer que, independente do que tenha acontecido, não foi tão ruim assim.

Criada numa família em que o constrangimento agressivo e a humilhação verbal coexistiam com muito afeto e cuidado, tive dificuldade para abraçar o termo "disfuncional". Uma vez que eu ainda me sentia e me sinto apegada aos meus pais e irmãos, orgulhosa de todas as dimensões positivas de nossa vida familiar, não queria nos descrever usando um termo que dava a entender que nossa vida juntos tinha sido completamente negativa ou ruim. Não queria que meus pais pensassem que eu os menosprezava; aprecio todas as coisas boas que eles concederam à família. Com ajuda da terapia, fui capaz de ver o termo "disfuncional" como uma descrição útil, e não como um julgamento totalmente negativo. Minha família de origem me proporcionou, ao longo da infância, um ambiente disfuncional, e essa situação não mudou. Isso não significa que não seja um ambiente no qual a afeição, o prazer e o cuidado também estão presentes.

Em um dia normal na minha família de origem, eu receberia atenção carinhosa, e o fato de eu ser uma menina inteligente seria afirmado e estimulado. Então, horas depois, alguém me diria que era exatamente porque eu me achava tão esperta que provavelmente acabaria louca e internada num hospício onde ninguém iria me visitar. Não é surpreendente que essa estranha mistura de carinho e crueldade não tenha alimentado positivamente o desenvolvimento do meu espírito. Aplicando a definição de amor de Peck à experiência da minha infância no lar em que cresci, honestamente não poderia descrevê-la como amorosa.

Pressionada na terapia a descrever minha família de origem como amorosa ou não, dolorosamente reconheci que não me sentia amada, mas me sentia cuidada. E fora da nossa casa eu me sentia genuinamente amada por algumas pessoas da família, como meu avô. Essa experiência de amor verdadeiro (uma combinação de cuidado, compromisso, confiança, sabedoria, responsabilidade e respeito) nutriu meu espírito ferido e permitiu que eu sobrevivesse a atos de desamor. Sou grata por ter sido criada em uma família que era cuidadosa, e acredito fortemente que, se meus pais tivessem sido bem amados pelos pais *deles*, eles teriam dado amor aos filhos. Eles deram aquilo que receberam: cuidado. Ressalto que o cuidado é uma dimensão do amor, mas somente cuidar não significa que estamos amando.

Como muitos adultos que foram física e/ou verbalmente abusados quando crianças, passei boa parte da minha vida tentando negar as coisas ruins que haviam acontecido, tentando me apegar apenas às memórias dos momentos bons e deliciosos em que conheci o carinho. No meu caso, quanto mais bem-sucedida eu me tornava, mais queria parar de falar a verdade sobre a minha infância. Frequentemente, críticos da literatura de autoajuda e de programas de reabilitação gostam de fazer parecer que muitos de nós ansiamos por acreditar que nossas famílias de origem foram, são ou continuam disfuncionais, ou que lhes falta amor, mas descobri que, assim como eu, a maioria das pessoas criadas em lares excessivamente violentos ou abusivos evita aceitar qualquer crítica negativa a suas experiências. Em geral, muitos de nós precisam de alguma intervenção terapêutica, seja por meio de leituras que nos ensinam e nos iluminam, seja por meio de sessões de análise, para que sejamos capazes de ao menos começar a examinar criticamente as experiências de nossa infância e de reconhecer as formas pelas quais elas impactam nosso comportamento como adultos.

A maioria de nós tem dificuldade de aceitar uma definição de amor que afirma que nunca somos amados em contextos nos quais existe abuso. A maioria das crianças abusadas física e/ou psicologicamente foi ensinada pelos adultos responsáveis que amor pode coexistir com abuso. E, em casos extremos, que o abuso é uma expressão de amor. Esse pensamento defeituoso com frequência molda nossas percepções adultas do amor. Então, assim como nos apegamos à ideia de que aqueles que nos machucaram quando éramos crianças nos amavam, tentamos racionalizar o fato de sermos machucados por outros adultos, insistindo que eles nos amam. No meu caso, muitas práticas de humilhação às quais fui submetida na infância continuaram em meus relacionamentos românticos adultos. Inicialmente, eu não queria aceitar uma definição de amor que me obrigaria a encarar a possibilidade de não o ter conhecido nos relacionamentos que eram mais importantes para mim. Anos de terapia e reflexão crítica me permitiram aceitar que não há um estigma associado ao reconhecimento da falta de amor nos relacionamentos mais importantes. E se o objetivo da pessoa é a autorrecuperação, o bem-estar de sua alma, confrontar o desamor de modo honesto e realista é parte do processo de cura. A falta de amor consistente não significa falta de cuidado, afeição ou prazer. Na realidade, meus relacionamentos de longa duração, assim como os laços da minha família, foram tão carregados de cuidado que seria bem fácil ignorar a disfunção emocional em curso.

Para transformar a falta de amor em minhas relações mais importantes, primeiro tive que reaprender o significado do amor e, a partir dali, aprender como ser amorosa. Aceitar uma definição clara de amor foi o primeiro passo do processo.

Como muitos que leram *A trilha menos percorrida* várias vezes, sou grata por ter encontrado uma definição de amor que me ajudou a encarar os lugares em minha vida onde ele estava ausente. Foi por volta dos 25 anos que aprendi a entender o amor como "a vontade de se empenhar ao máximo para promover o próprio crescimento espiritual ou o de outra pessoa". Ainda foram necessários anos para que eu me desapegasse de padrões de comportamento aprendidos que anulavam minha capacidade de dar e receber amor. Um padrão que tornava a prática do amor especialmente difícil era com frequência escolher estar com homens emocionalmente feridos, que não estavam tão interessados em ser amorosos, embora desejassem ser amados.

Eu queria conhecer o amor, mas estava com medo de me entregar e confiar em outra pessoa. Tinha medo da intimidade. Ao escolher homens que não estavam interessados em ser amorosos, eu era capaz de praticar o ato de dar amor, mas sempre num contexto insatisfatório. Naturalmente, minha necessidade de receber amor não era saciada. Recebia o que estava acostumada a receber — carinho e afeição, geralmente misturados com algum grau de grosseria, negligência e, em algumas ocasiões, franca crueldade. Às vezes eu era dura. Levei muito tempo para reconhecer que, embora quisesse conhecer o amor, tinha medo de ter intimidade de fato. Muitos de nós escolhemos relacionamentos de afeição e carinho que nunca se tornarão amorosos porque eles parecem mais seguros. As demandas não são tão intensas quanto as do amor. O risco não é tão grande.

Muitos de nós desejamos amor, mas nos falta coragem para correr riscos. Embora sejamos obcecados com a ideia do amor, a verdade é que a maioria de nós leva uma vida decente, relativamente satisfatória, ainda que sintamos a falta de amor. Nesses relacionamentos, compartilhamos afeição e/ou carinho verdadeiro. Para a maioria de nós, parece ser suficiente, porque geralmente é muito mais do que recebemos de nossa família de origem. Sem sombra de dúvida, muitos de nós se sentem mais confortáveis com a ideia de que o amor pode significar qualquer coisa para qualquer um precisamente porque, quando o definimos com precisão e clareza, isso nos deixa cara a cara com o que nos falta — com uma alienação terrível. A verdade é que, em nossa cultura, muitas pessoas não sabem o que é o amor. E esse desconhecimento parece um segredo horrível, uma ausência que precisamos esconder.

Se tivessem me dado uma definição clara de amor mais cedo em minha vida, não teria levado tanto tempo para me tornar uma pessoa amorosa. Se eu tivesse compartilhado com outros uma compreensão comum do que significa amar, teria sido mais fácil cultivar o amor. É particularmente angustiante que tantos livros recentes a respeito do tema continuem insistindo que definições de amor são desnecessárias e sem importância. Ou pior, os autores sugerem que o amor deveria significar algo diferente para homens e para mulheres — que os sexos devem respeitar e se adaptar à nossa inabilidade de comunicação, uma vez que não partilhamos a mesma linguagem. Esse tipo de literatura é popular porque não exige mudanças nas formas estabelecidas de pensar papéis de gênero, cultura ou amor. Em vez de compartilhar estratégias que nos ajudariam a nos tornar mais amorosos, ela na verdade encoraja todo mundo a se adaptar às circunstâncias em que falta amor.

As mulheres, mais do que os homens, se apressam em consumir essas leituras. Fazemos isso porque coletivamente nos preocupamos com o desamor. Uma vez que muitas mulheres acreditam que nunca conhecerão um amor completo, elas estão dispostas a se acomodar a estratégias que ajudem a amenizar a dor e aumentar a paz, o prazer e a diversão nos relacionamentos existentes, especialmente nos românticos. Em nossa cultura, não existem canais para os leitores responderem aos autores desses livros. E nós não sabemos se eles têm sido realmente úteis, se promovem mudanças construtivas. O fato de que mulheres, mais do que homens, comprem livros de autoajuda, usando nossos recursos de consumidoras para manter obras específicas na lista de mais vendidas, não é um indício de que elas nos ajudem efetivamente a transformar nossa vivência. Comprei toneladas de livros de autoajuda. Somente alguns realmente fizeram diferença em minha vida. Isso acontece com muitos leitores.

A ausência de debate público e de políticas públicas relacionadas à prática do amor em nossa cultura significa que ainda precisamos nos voltar para os livros como uma fonte primária de sentido e orientação. Um grande número de leitores aceita a definição de amor de Peck, aplicando-a em sua vida de formas úteis e transformadoras. Podemos espalhar a ideia evocando essa definição em conversas no dia a dia, não apenas quando falamos com outros adultos, mas também em nossos diálogos com crianças e adolescentes. Quando interferimos nas suposições confusas de que o amor não pode ser definido, oferecendo delimitações práticas, úteis, já estamos criando um contexto em que o amor pode começar a florescer.

Algumas pessoas têm dificuldade com a definição de amor de Peck porque ele usa a palavra "espiritual". Ele se refere àquela dimensão de nossa realidade mais íntima em que a mente, o corpo e o espírito são um só. O indivíduo não precisa ser praticante de uma religião para abraçar a ideia de que existe um princípio que anima o *self* — uma força vital (alguns de nós a chamamos de alma) que, quando alimentada, aumenta nossa capacidade de sermos inteiramente autorrealizados e aptos a nos relacionarmos em comunhão com o mundo ao nosso redor.

Começar por sempre pensar no amor como uma ação, em vez de um sentimento, é uma forma de fazer com que qualquer um que use a palavra dessa maneira automaticamente assuma responsabilidade e comprometimento. Somos com frequência ensinados que não temos controle sobre nossos "sentimentos". Contudo, a maioria de nós aceita que escolhemos nossas ações, que a intenção e o desejo influenciam o que fazemos. Também aceitamos que nossas ações têm consequências. Pensar que as ações moldam os sentimentos é uma forma de nos livrarmos de suposições aceitas convencionalmente, como a de que pais amam seus filhos, de que alguém simplesmente "cai" de amores sem exercer desejo ou escolha, de que existe algo chamado "crime passional", isto é, a ideia de que ele a matou porque a amava demais. Se nos lembrássemos constantemente de que o amor é o que o amor faz, não usaríamos a palavra de um jeito que desvaloriza e degrada o seu significado. Quando amamos, expressamos cuidado, afeição, responsabilidade, respeito, compromisso e confiança.

Definições são pontos de partida fundamentais para a imaginação. O que não podemos imaginar não pode vir a ser. Uma boa definição marca nosso ponto de partida e nos permite saber aonde queremos chegar. Conforme nos movemos em direção ao destino desejado, exploramos o caminho, criando um mapa. Precisamos de um mapa para nos guiar em nossa jornada até o amor — partindo de um lugar em que sabemos a que nos referimos quando falamos de amor.

02.
justiça:
lições de amor
na infância

Separações graves no começo da vida deixam cicatrizes emocionais no cérebro porque atacam a conexão humana essencial: o elo mãe-filho, que nos ensina que somos dignos de ser amados. O elo mãe-filho nos ensina a amar. Não podemos nos tornar seres humanos completos — na verdade, é difícil tornar-se um ser humano — sem o apoio dessa primeira ligação.

— Judith Viorst

Nós aprendemos sobre o amor na infância. Seja nosso lar feliz ou problemático, nossa família funcional ou disfuncional, é essa a primeira escola do amor. Não consigo me lembrar de sequer ter vontade de pedir aos meus pais que definissem o amor. Para a minha mente infantil, o amor era o sentimento bom que você tinha quando seus familiares te tratavam como se você importasse, e você os tratava como se eles importassem. O amor esteve sempre e apenas associado a se sentir bem. No início da adolescência, quando apanhávamos e nos diziam que essas punições eram "para o nosso próprio bem" ou "estou fazendo isso porque te amo", meus irmãos e eu ficávamos confusos. Por que uma punição severa era um gesto de amor? Como fazem as crianças, fingíamos aceitar essa lógica dos adultos, mas sabíamos em nosso coração que isso não estava certo. Sabíamos que era mentira. Tal como a mentira que os adultos contavam logo depois dessas punições tão duras: "Dói mais em mim que em você". Nada cria mais confusão em relação ao amor no coração e na mente de crianças do que punições duras e/ou cruéis aplicadas pelos mesmos adultos que elas foram ensinadas a amar e respeitar. Essas crianças aprendem desde cedo a questionar o significado do amor e a ansiar por ele, mesmo quando duvidam que exista.

Por outro lado, há inúmeras crianças que crescem confiantes de que o amor é um sentimento bom, que nunca foram punidas, que podem acreditar que o amor só tem a ver com ter suas necessidades atendidas. Em sua mente infantil, o amor não está relacionado a algo que elas precisem dar, mas, em grande parte, a algo que lhes é dado. Quando crianças como essas são mimadas, seja materialmente ou por meio de permissão para fazer birra, trata-se de uma forma de negligência. Essas crianças, embora não tenham sido abusadas nem abandonadas, em geral são tão confusas em relação ao significado do amor quanto as que foram negligenciadas e emocionalmente abandonadas. Ambos os grupos aprenderam a pensar o amor principalmente relacionado a bons sentimentos, num contexto de recompensa e punição. A maioria de nós se lembra, desde os primórdios da infância, de escutar como éramos amados quando fazíamos algo que agradava nossos pais. E aprendemos a lhes dar demonstrações de amor quando eles nos agradavam. Conforme as crianças crescem, elas associam cada vez mais o amor a gestos de atenção, afeição e carinho.

Elas ainda veem as tentativas dos pais de satisfazer seus desejos como formas de amar.

Crianças de todas as classes sociais me dizem que amam seus pais e são amadas por eles, mesmo as que foram agredidas ou abusadas. Diante do pedido para que definam o amor, crianças pequenas geralmente concordam que se trata de um bom sentimento, "como quando você come alguma coisa de que realmente gosta", especialmente se for sua comida fa-vo-ri-ta. Elas dirão: "A mamãe me ama porque ela cuida de mim e me ajuda a fazer tudo certo". Quando lhes perguntamos como amar alguém, eles falam de dar beijos e abraços, de ser doces e fofinhas. A ideia de que o amor é conseguir o que se deseja, seja um abraço, um casaco novo ou uma viagem à Disney, é uma forma de pensar que dificulta que as crianças alcancem uma compreensão emocional mais profunda.

Gostamos de imaginar que a maioria das crianças nascerá em lares nos quais serão amadas. No entanto, o amor não estará presente se os adultos que se tornaram pais não souberem amar. Embora muitas crianças sejam criadas em lares nos quais recebem certo nível de cuidado, talvez o amor não seja constante ou sequer esteja presente. Adultos de diferentes classes sociais, raças e gêneros culpam a família. Seus relatos expressam mundos infantis onde não havia amor — onde o caos, a negligência, o abuso e a coerção reinavam supremos. No livro *Raised in Captivity: Why Does America Fail Its Children?* [Criados em cativeiro: por que os Estados Unidos falham com suas crianças?], Lucia Hodgson documenta a realidade de desamor na vida da imensa maioria das crianças nos Estados Unidos. Todos os dias, milhares de crianças em nosso país são abusadas verbal e fisicamente, passam fome, são torturadas e assassinadas. Elas são as verdadeiras vítimas de um terrorismo íntimo, sem voz coletiva nem direitos. Elas permanecem propriedade de adultos que fazem delas o que querem.

Não pode haver amor sem justiça. Até que vivamos numa cultura que não apenas respeite mas assegure direitos civis básicos para as crianças, a maioria delas não conhecerá o amor. Em nossa cultura, o lar da família nuclear é uma esfera institucionalizada de poder que pode ser facilmente autocrática e fascista. Como governantes absolutos, os pais geralmente podem decidir sem qualquer intervenção o que é melhor para os filhos. Se os direitos das crianças são sustados em qualquer ambiente doméstico, elas não têm recursos legais. Em contraste com as mulheres, que podem se organizar e protestar contra a dominação machista, exigindo direitos iguais e justiça, as crianças só podem contar com adultos bem-intencionados que eventualmente as ajudem caso sejam exploradas e oprimidas em casa.

Nós todos sabemos que, independentemente de classe ou raça, é rara a intervenção de outros adultos questionando ou desafiando o que seus pares fazem com "seus" filhos.

Numa festa divertida, cujos convidados eram em sua maioria indivíduos escolarizados e bem remunerados, de diferentes raças e gerações, levantou-se a questão de bater para disciplinar crianças. Quase todos os convidados com mais de trinta anos falaram da necessidade de usar punição física. Muitos de nós ali presentes recebemos tapas, cintadas ou surras quando crianças. Os homens fizeram a defesa mais ferrenha da punição física. As mulheres, especialmente as mães, falaram de bater como último recurso, mas indicaram que o empregavam quando necessário.

Enquanto um homem se vangloriava das surras agressivas que levara da mãe, acrescentando que "foram boas para ele", eu o interrompi e sugeri que talvez ele não fosse hoje um misógino que detesta mulheres se não tivesse apanhado brutalmente de uma mulher na infância. Embora seja simplista demais supor que só porque apanhamos na infância nos tornaremos adultos que batem, queria que o grupo reconhecesse que ser agredido fisicamente ou abusado por adultos na infância tem consequências nocivas para nossa vida adulta.

Uma jovem profissional, mãe de um menino pequeno, gabou-se de não bater nele, afirmando que, quando seu filho se comportava mal, ela o beliscava, apertando sua pele até que ele entendesse a mensagem. Ocorre que isso também é uma forma de abuso. Os outros convidados apoiaram os métodos da jovem mãe e de seu marido. Fiquei chocada. Eu era uma voz solitária defendendo os direitos das crianças.

Mais tarde, conversando com outras pessoas, sugeri que todos ficariam estarrecidos se escutássemos um homem dizer que toda vez que sua esposa ou namorada faz algo que lhe desagrada, ele apenas a belisca com toda a força. Todos veriam esse ato como coercitivo e abusivo. Entretanto, não conseguiam reconhecer o que havia de errado com o fato de um adulto machucar uma criança dessa maneira. Todos os pais naquela sala afirmavam ser amorosos. Todas as pessoas naquela sala tinham ensino superior. A maioria delas se dizia progressista, defensora dos direitos civis e do feminismo. No entanto, quando se tratava dos diretos das crianças, tinha um padrão diferente.

Um dos mais importantes mitos sociais que precisamos desmascarar se pretendemos nos tornar uma cultura mais amorosa é aquele que ensina os pais que abuso e negligência podem coexistir com o amor. Abuso e negligência anulam o amor. Cuidado e apoio, o oposto do abuso e da humilhação, são as bases do amor. Ninguém pode legitimamente se declarar amoroso quando se comporta de maneira abusiva. Porém, em nossa cultura, pais fazem isso o tempo todo. As crianças escutam que são amadas, embora estejam sendo abusadas.

Para começo de conversa, a ocorrência do abuso é uma evidência do fracasso da prática amorosa.

Muitos dos homens que ofereceram seus relatos pessoais em *Boyhood, Growing Up Male: A Multicultural Anthology* [Infância, crescer como menino: uma antologia multicultural] contam histórias de abusos violentos e fortuitos que provocaram trauma. No ensaio "When My Father Hit Me" [Quando meu pai me bateu], Bob Shelby descreve a dor das repetidas surras recebidas de seu pai, afirmando:

> Por meio dessas experiências com meu pai, aprendi sobre o abuso de poder. Ao agredir fisicamente minha mãe e eu, ele de fato nos impedia de reagir às humilhações que infligia. Nós paramos de protestar quando ele ultrapassava nossos limites e ignorava nossa percepção de sermos indivíduos com necessidades, vontades e direitos próprios.

Ao longo do ensaio, Shelby expressa compreensões contraditórias do significado de amor. Por um lado, diz: "Não tenho dúvida de que meu pai me amava, mas seu amor se tornou mal direcionado. Ele dizia que queria me dar o que não teve quando criança". Por outro, confessa: "Contudo, o que ele mais me mostrava era sua dificuldade em ser amado. Durante toda a sua vida ele tinha lidado com sentimentos de desamor". Quando Shelby descreve a infância, fica claro que o pai tinha afeição por ele e, em parte do tempo, lhe dava carinho. No entanto, ele não sabia como dar e receber amor. A afeição que ele oferecia era minada pelo abuso.

Escrevendo com base em suas lembranças, depois de adulto, Shelby fala do impacto da agressão física em sua psique de menino: "Conforme a intensidade da dor das pancadas aumentava, eu a sentia em meu coração. Percebi que o que mais doía eram meus sentimentos de amor pelo homem que estava me batendo. Eu escondia o meu amor sob uma capa escura de ódio". Histórias parecidas são contadas, em narrativas autobiográficas, por outros homens — de todas as classes sociais e raças. Um dos mitos relacionados ao desamor é o de que ele só existe entre os pobres e necessitados. No entanto, ele não é uma consequência da pobreza ou da privação material. Em lares com privilégios materiais abundantes, crianças sofrem negligência emocional e abuso. Para lidar com a dor das feridas infligidas na infância, a maioria dos homens que aparecem em *Boyhood* procurou algum tipo de ajuda terapêutica. Para encontrar o caminho de volta ao amor, precisaram de cura.

Em nossa cultura, muitos homens nunca se recuperam da crueldade sofrida na infância. Estudos demonstram que, na ausência de cuidados, homens e mulheres violentamente humilhados e abusados são constantemente propensos a ser disfuncionais e predispostos a abusar dos outros violentamente. No livro *Finding Freedom: Writings from Death Row* [Encontrando a liberdade: escritos do corredor da morte], de Jarvis Jay Masters, um capítulo chamado "Scars" [Cicatrizes] narra a descoberta de que a grande maioria das cicatrizes que cobriam o corpo de seus companheiros na prisão (nem todos estavam no corredor da morte) não era, como se poderia imaginar, resultado de interações violentas na vida adulta. Esses homens estavam cobertos de marcas das surras infligidas por seus pais quando eram crianças. Entretanto, ele observa, nenhum deles se via como vítima de abuso:

> Ao longo dos meus vários anos de encarceramento, assim como muitos desses homens, busquei inconscientemente me refugiar atrás das paredes da prisão. Foi apenas depois de ler uma série de livros para adultos que tinham sido abusados quando criança que me comprometi com o processo de examinar minha própria infância.

Mobilizando os homens em grupos de discussão, Masters observa: "Falei com eles sobre a dor que carreguei por mais de uma dúzia de penitenciárias. E expliquei como todos esses acontecimentos, no fim das contas, me prenderam ao padrão de atacar tudo furiosamente". Como muitas crianças abusadas, meninos e meninas, esses homens foram agredidos por mães, pais e outros adultos responsáveis por cuidar deles.

Quando a mãe de Masters morreu, ele lamentou não poder estar com ela. Os outros detentos não compreendiam seu desejo, uma vez que ela o negligenciou e abusou dele. Ele respondeu: "Ela me negligenciou, mas eu devo me negligenciar também, negando que gostaria de estar com ela quando ela morreu, que eu ainda a amo?". Mesmo no corredor da morte, o coração de Masters continuava aberto. E ele pôde confessar abertamente o desejo de dar e receber amor. O fato de uma criança ser agredida pelos pais raramente altera seu desejo de amar e ser amada por eles. O desejo de ser amado por pais negligentes persiste em adultos feridos na infância, mesmo quando há clara aceitação do fato de que esse amor jamais virá.

É comum que as crianças queiram permanecer com os adultos que as machucaram, porque investiram emocionalmente neles. Elas se apegam à suposição equivocada de que os pais as amam mesmo diante da lembrança do abuso, geralmente negando esse abuso e destacando eventuais gestos de carinho.

No prólogo de *A criação do amor*, John Bradshaw chama de "mistificação" essa confusão em relação ao amor:

> Fui criado acreditando que o amor está enraizado nos relacionamentos familiares. Você ama naturalmente qualquer pessoa da sua família. O amor não é uma escolha. O amor que me ensinaram estava preso ao dever e à obrigação. [...]
>
> Minha família me ensinou as regras e as crenças da nossa cultura quanto ao amor. [...] mesmo com as melhores intenções, nossos pais muitas vezes confundiram o amor com o que hoje em dia chamaríamos de abuso.

Para desmistificar o significado do amor, da arte e da prática de amar, precisamos usar definições claras de amor quando falamos com as crianças, e precisamos também assegurar que ações amorosas nunca sejam contaminadas pelo abuso.

Em sociedades como a nossa, em que direitos civis plenos são negados às crianças, é absolutamente crucial que os pais aprendam a oferecer uma disciplina amorosa. Estabelecer limites e ensinar às crianças como estabelecer limites por conta própria antes de se comportarem mal são parte essencial de uma criação amorosa. Quando os pais começam a disciplinar as crianças usando punição, esse se torna o padrão ao qual as crianças respondem. Pais amorosos se esforçam muito para disciplinar sem punir. Isso não significa que nunca castiguem, mas, quando precisam punir, escolhem outras alternativas, como determinar que a criança passe um tempo sozinha ou retirar algum privilégio. O foco é ensinar às crianças como serem autodisciplinadas e como assumir responsabilidade por seus atos. Uma vez que a maioria de nós cresceu em lares onde a punição era considerada a principal forma, se não a única, de ensinar disciplina, o fato de que esta possa ser ensinada sem agressão surpreende muitas pessoas. Uma das formas mais simples de as crianças aprenderem a ser organizadas no dia a dia é aprendendo a limpar a bagunça que fazem. Ensinar a uma criança a responsabilidade de colocar os brinquedos no lugar certo depois da brincadeira já é uma forma de estimular a responsabilidade e a autodisciplina. Aprender a arrumar a bagunça feita durante a brincadeira ajuda a criança a ser responsável. E, com essa ação prática, ela pode aprender a lidar com a bagunça emocional.

...

Se existissem programas de televisão que exibissem modelos realmente amorosos para a criação dos filhos, os pais poderiam aprender essas habilidades. Programas voltados para famílias em geral representam de modo positivo crianças mimadas, desrespeitosas ou birrentas. Muitas vezes, elas se comportam de forma mais adulta do que os pais. Na verdade, o que vemos na televisão, na melhor das hipóteses, nos fornece um modelo de comportamento inapropriado, e, no pior cenário, de comportamento sem amor. Um grande exemplo é o filme *Esqueceram de mim* (1990), que celebra a desobediência e a violência. Contudo, a televisão pode retratar interações familiares carinhosas e amorosas. Gerações inteiras de adultos falam com nostalgia sobre como gostariam que suas famílias fossem como aquelas apresentadas em séries como *Leave It to Beaver*[5] ou *My Three Sons*.[6] Nós desejávamos que nossas famílias fossem como o que víamos na TV, porque assistíamos a uma criação amorosa, a lares amorosos. Quando expressávamos aos nossos pais o desejo de ter uma família como aquelas, geralmente ouvíamos que elas não eram realistas. No entanto, a realidade é que pais que vinham de lares sem amor nunca aprenderam como amar e não conseguem criar ambientes domésticos amorosos, nem sequer os consideram realistas quando se deparam com eles na televisão. A realidade

---

5. *Leave It to Beaver* foi uma série televisiva muito celebrada nos Estados Unidos e tornou-se um ícone da cultura popular do país. No ar entre os anos de 1957 e 1963, trazia aos telespectadores o cotidiano de uma família branca de classe média, narrada do ponto de vista de Beaver, um menino de oito anos. Abrangendo temas como a rivalidade entre irmãos, a dificuldade de crescer e se ajustar socialmente, entre outros, a série mostrava, com frequência, as dinâmicas das relações entre pais e filhos, as tentativas de aproximação, diálogo e resolução de conflitos feitas pelos pais e também algumas gafes cometidas por eles ao tentar educar as crianças. [N.E.]

6. A série de televisão *My Three Sons* foi um grande sucesso nos Estados Unidos. Exibida entre 1960 e 1972, narrava o dia a dia da família do viúvo Steve Douglas e a dinâmica e as dificuldades de criar três filhos na ausência da mãe. Para isso, Steve contava com a ajuda de outros adultos, como seu sogro, Michael, um avô atencioso e presente. Mais tarde, também o irmão de Michael, tio-avô dos três meninos, passou a colaborar com a criação e a educação dos rapazes. Ao longo dos doze anos em que ficou no ar, a série acompanhou o crescimento dos meninos e foi agregando mais personagens como membros da família, tais como os netos de Steve, suas noras, um filho adotivo e uma enteada. [N.E.]

com a qual estão mais familiarizados e na qual confiam é a que conheceram intimamente.

Não havia nada de utópico na forma como os problemas eram resolvidos nessas séries. O processo usual para lidar com o mau comportamento envolvia conversas entre pais e filhos, reflexão crítica e a identificação de modos para fazer ajustes. Nas duas séries, nunca havia apenas uma figura parental. Ainda que a mãe estivesse ausente em *My Three Sons*, o adorável tio Charlie era um segundo pai. Num lar amoroso em que vários adultos exercem cuidados parentais, se uma criança sente que um deles está sendo injusto, pode apelar a outro por mediação, compreensão ou apoio. Vivemos em uma sociedade em que há um número crescente de pais e mães solo. Entretanto, eles podem escolher um amigo ou amiga para ser a outra figura parental, mesmo se as interações forem limitadas. É por isso que as categorias de madrinha e padrinho são tão importantes. Quando minha melhor amiga de infância decidiu ter um bebê sem a participação do pai na criação, eu me tornei a madrinha, uma segunda figura parental.

A filha da minha amiga me procura para que eu intervenha quando há desentendimento ou dificuldade de comunicação entre ela e a mãe. Aqui vai um pequeno exemplo. Minha amiga nunca recebeu mesada quando criança e achava que não tinha dinheiro extra disponível para dar mesada à filha. Ela também acreditava que a filha usaria todo o dinheiro para comprar doces. Ao me contar que a filha estava chateada com ela por causa dessa questão, ela abriu espaço para termos uma conversa. Falei que acredito que mesadas são ferramentas importantes para ensinar as crianças a ter disciplina, limites e a trabalhar a relação desejos *versus* necessidades. Eu conhecia as finanças da minha amiga suficientemente bem para questionar sua insistência de que não poderia bancar uma pequena mesada, ao mesmo tempo que a encorajava a não projetar os erros de sua infância no presente. Em relação à possibilidade de a filha gastar a mesada com doces, sugeri que ela lhe desse o dinheiro reforçando que esperava que ele não fosse usado com excesso de indulgência e visse o que aconteceria.

No fim, deu tudo certo. Feliz por ter uma mesada, a filha decidiu juntar o dinheiro para comprar coisas que considerava realmente importantes. E doces não estavam na lista. Se não houvesse outra figura parental envolvida, as duas poderiam ter levado mais tempo para resolver o conflito, eventualmente criando desentendimento desnecessário e mágoa. Não por acaso, a interação respeitosa entre duas adultas exemplificou para a filha (que ficou sabendo da conversa) formas de resolver problemas. Ao revelar a disposição de aceitar críticas e a capacidade de refletir sobre seu comportamento e mudá-lo, a mãe serviu de modelo para a filha, sem perder dignidade ou autoridade, reconhecendo que os pais nem sempre têm razão.

Enquanto não começarmos a ver a criação amorosa em todos os tipos de família em nossa cultura, muitas pessoas continuarão acreditando que só se pode ensinar disciplina com punição, e que a punição severa é uma forma aceitável de se relacionar com as crianças. Como são capazes de oferecer afeição instintivamente ou reagem ao cuidado carinhoso retribuindo-o, geralmente se pressupõe que as crianças sabem como amar e, portanto, não precisam aprender essa arte. Embora o desejo de amar esteja presente em todas as crianças pequenas, ainda assim, elas precisam de orientação quanto às formas de amar. Adultos podem orientá-las.

O amor é o que o amor faz, e é nossa responsabilidade dar amor às crianças. Quando as amamos, reconhecemos com nossas próprias ações que elas não são propriedades, que têm direitos — os quais nós respeitamos e garantimos.

Sem justiça, não pode haver amor.

03.
honestidade:
seja verdadeira
com o amor

> *Quando nos revelamos aos nossos parceiros e descobrimos que isso traz cura, e não dano, realizamos uma descoberta importante: relacionamentos íntimos podem ser um refúgio num mundo de aparências, um espaço sagrado onde podemos ser nós mesmos, como realmente somos. [...] Esse tipo de desvelamento — falar nossa verdade, compartilhar nossas lutas internas e revelar nossas arestas — é uma atividade sagrada, que permite que duas almas se encontrem e se toquem mais profundamente.*
> — John Welwood

Não é por acaso que, ainda crianças, geralmente aprendemos sobre justiça e jogo limpo num contexto relacionado à questão de falar a verdade. O coração da justiça é dizer a verdade, vermos a nós mesmos e ao mundo como somos, em vez de como gostaríamos que fôssemos. Nos últimos anos, sociólogos e psicólogos têm documentado o fato de que vivemos num país onde as pessoas mentem mais e mais a cada dia. O livro *Lying: Moral Choice in Public and Private Life* [Mentir: escolha moral na vida pública e privada], da filósofa Sissela Bok, está entre as primeiras obras a chamar a atenção para como a mentira se tornou amplamente aceitável, constituindo um lugar comum em nossas interações diárias. *A trilha menos percorrida*, de M. Scott Peck, tem uma seção inteira sobre a mentira. Em *The Dance of Deception: A Guide to Authenticity and Truth-Telling in Women's Relationships* [A dança da ilusão: um guia sobre autenticidade e verdade nas relações das mulheres], Harriet Lerner, outra psicoterapeuta e autora de livros populares, chama a atenção para a forma como as mulheres são estimuladas pela socialização machista a fingir e manipular, a mentir como forma de agradar. Lerner destaca as várias formas como o fingimento e a mentira constantes alienam as mulheres de seus verdadeiros sentimentos, e como isso leva à depressão e à perda da autoconsciência.

Mentiras são contadas a respeito dos aspectos mais insignificantes de nossa rotina. Diante das perguntas mais básicas, do tipo "Tudo bem?", muitos de nós mentimos. Muitas mentiras que as pessoas contam no dia a dia são para evitar conflitos ou poupar os sentimentos dos outros. Assim, se alguém te convida para um jantar com a presença de uma pessoa de quem você não gosta, você não diz a verdade nem simplesmente recusa: inventa uma história. Você conta uma mentira. Numa situação como essa, em que admitir o motivo da recusa poderia magoar outra pessoa sem necessidade, seria apropriado simplesmente declinar.

Muitas pessoas aprendem a mentir na infância. De modo geral, começam a mentir para evitar punição ou para não desapontar ou magoar um adulto. Quantos de nós podemos recordar vividamente momentos da infância em que, corajosamente, praticamos a honestidade que nossos pais nos haviam ensinado a valorizar, apenas para descobrir que eles não queriam que disséssemos a verdade desde o princípio. Há muitos e muitos casos de crianças punidas ao responder com honestidade a uma questão apresentada por uma figura de autoridade. Desde cedo fica gravado em sua consciência que dizer a verdade trará dor. E assim elas aprendem que mentir é uma maneira de evitar se ferir e ferir os outros.

Muitas crianças ficam confusas em face da insistência para que, simultaneamente, sejam honestas e aprendam a praticar uma duplicidade conveniente. Conforme crescem, começam a ver com que frequência os adultos mentem. Elas começam a perceber que poucas pessoas a seu redor falam a verdade. Eu fui criada num mundo em que as crianças eram ensinadas a dizer a verdade, mas não levou muito tempo para nos darmos conta de que os adultos não praticavam o que eles diziam. Entre meus irmãos, aqueles que aprenderam a contar mentiras educadas ou a dizer o que os adultos queriam ouvir sempre foram mais populares e mais recompensados do que aqueles entre nós que falavam a verdade.

Em qualquer grupo de crianças, nunca fica claro por que algumas aprendem rapidamente a fina arte da dissimulação (isto é, assumir qualquer aparência necessária para manipular uma situação), enquanto outras consideram difícil mascarar seus verdadeiros sentimentos. Uma vez que o faz de conta é um aspecto bastante comum nas brincadeiras infantis, trata-se de um contexto perfeito para dominar a arte da dissimulação. Frequentemente, esconder a verdade é uma parte divertida das brincadeiras; no entanto, quando isso se torna uma prática comum, é um prelúdio perigoso para que se minta o tempo todo.

Às vezes as crianças ficam fascinadas pela mentira porque percebem o poder que ela lhes dá sobre os adultos. Imagine: uma menina pequena vai à escola e diz para sua professora que é adotada, sabendo muito bem que isso não é verdade. Ela se regozija com a atenção recebida, com a simpatia e a compreensão oferecidas, e também com a raiva e a frustração dos pais quando a professora lhes telefona para falar sobre essa informação recém-descoberta. Uma amiga minha que mente muito me diz que adora enganar as pessoas, fazendo-as agir de acordo com informações que apenas ela sabe que são falsas; ela tem apenas dez anos.

Quando eu tinha sua idade, tinha medo de mentiras. Elas me confundiam e criavam confusão. Outras crianças implicavam comigo porque eu não era uma boa mentirosa. No que foi o episódio verdadeiramente violento entre minha mãe e meu pai, ele a acusou de mentir para ele. Então, houve a noite em que uma irmã mais velha mentiu dizendo que estava trabalhando como babá, quando, na verdade, tinha ido a um encontro. Enquanto batia nela, nosso pai gritava, repetidamente: "Você não minta para mim!". Ao passo que a violência de suas reações instilou em nós pavor das consequências de mentir, isso não alterou o fato de que sabíamos que ele nem sempre dizia a verdade. Sua forma preferida de mentir era omitir. Seu bordão era "apenas fique em silêncio" quando lhe fizerem perguntas, assim você não será "pega na mentira".

Os homens sempre mentiram para evitar confrontos ou ter que assumir suas responsabilidades por comportamentos inadequados. No inovador *The Mermaid and the Minotaur: Sexual Arrangements and Human Malaise* [A sereia e o Minotauro: arranjos sexuais e mal-estar humano], Dorothy

Dinnerstein compartilha o achado de que, no momento em que um menino pequeno aprende que sua poderosa mãe, que controla sua vida, na verdade não tem poder dentro do patriarcado, isso o confunde e o enfurece. Mentir se torna uma das estratégias por meio das quais ele pode "agir" para tornar a mãe impotente. Mentir permite que ele manipule a mãe e até mesmo exponha sua falta de poder. Isso faz com que se sinta mais poderoso.

Homens aprendem a mentir como forma de obter poder, e mulheres não apenas fazem o mesmo como também mentem para fingir que não têm poder. Em sua obra, Harriet Lerner observa os modos como o patriarcado estimula o fingimento, encorajando as mulheres a apresentarem aos homens um "eu" falso, e vice-versa. Em *101 mentiras que os homens contam para as mulheres: e por que elas acreditam*, Dory Hollander confirma que, ao passo que tanto homens quanto mulheres mentem, seus dados e as descobertas de outros pesquisadores indicam que "homens tendem a mentir mais e com consequências mais devastadoras". Para muitos homens jovens, a primeira experiência de poder sobre os outros vem da emoção de mentir para adultos mais poderosos e não sofrer consequências. Muitos homens me contaram que era difícil dizer a verdade se percebessem que ela magoaria alguém amado. Não por acaso, as mentiras que muitos meninos aprendem a contar para evitar magoar a mamãe ou seja lá quem for se tornam tão habituais que eles passam a ter dificuldade em distinguir entre mentira e verdade. Esse comportamento os acompanha pela vida adulta.

Com frequência, homens que nunca pensariam em mentir no ambiente de trabalho mentem constantemente em relacionamentos íntimos. Esse parece ser o caso, em particular, de homens heterossexuais que consideram as mulheres ingênuas. Muitos homens confessam que mentem porque conseguem se safar; suas mentiras são perdoadas. Para compreender por que as mentiras masculinas são mais aceitas em nossa vida, precisamos compreender a forma como o poder e o privilégio são concedidos aos homens simplesmente por serem homens, dentro de uma cultura patriarcal. O próprio conceito de "ser homem", ser "homem de verdade", deixa sempre subentendido que, quando necessário, homens podem cometer ações que quebrem as regras, que estejam acima da lei. O patriarcado nos diz diariamente, nos filmes, na televisão e nas revistas, que homens poderosos podem fazer o que bem entendem, que é essa liberdade que os torna homens. A mensagem dirigida aos homens é de que ser honesto é ser "mole". A habilidade de ser desonesto e indiferente às consequências da desonestidade torna um homem "durão", separa os homens dos meninos.

No livro *The End of Manhood: A Book for Men of Conscience* [O fim da masculinidade: um livro para os homens com consciência], John Stoltenberg analisa em que medida a identidade masculina oferecida aos homens como ideal na cultura patriarcal demanda que todos os homens inventem e mantenham um "eu" falso. A partir do momento em que meninos pequenos são ensinados que não devem chorar nem expressar mágoa, solidão ou dor, que devem ser duros, eles aprendem a mascarar seus sentimentos verdadeiros. Na pior das hipóteses, aprendem a nunca sentir nada. Essas lições muitas vezes são ensinadas a meninos por outros homens e por mães machistas. Mesmo meninos criados nos lares mais progressistas e amorosos, cujos pais os encorajam a expressar emoções, aprendem uma concepção diferente de masculinidade e de sentimentos no parquinho, na sala de aula, praticando esportes ou assistindo à televisão. Eles podem acabar escolhendo a masculinidade patriarcal para serem aceitos por outros meninos e ratificados por figuras de autoridade masculinas.

Em sua importante obra *Rediscovering Masculinity: Reason, Language and Sexuality* [Redescobrindo a masculinidade: razão, linguagem e sexualidade], Victor Seidler destaca:

> Quando aprendemos a usar a linguagem, ainda meninos, aprendemos muito rapidamente como nos esconder por meio dela. Aprendemos a "dominar" a linguagem para que possamos controlar o mundo à nossa volta [...] Embora aprendamos a culpar os outros por nossa infelicidade e sofrimento nos relacionamentos, também sabemos, em algum nível não dito, como nossa masculinidade tem sido limitada e ferida, conforme entramos em contato com a dor e a mágoa de percebermos o quanto parecemos sentir tão pouco em relação a qualquer coisa [...].

O distanciamento dos sentimentos torna mais fácil para os homens mentir porque eles geralmente estão em um estado de transe, utilizando as estratégias de sobrevivência voltadas para a afirmação da masculinidade que aprenderam quando crianças. Essa inabilidade para se conectar com os outros carrega consigo uma inabilidade para assumir responsabilidade por causar dor. A negação é mais evidente em casos nos quais os homens tentam justificar a extrema violência contra quem tem menos poder, em geral mulheres, sugerindo que são eles as verdadeiras vítimas.

Independentemente da intensidade da dissimulação masculina, muitos homens, em seu íntimo, se veem como as vítimas do desamor. Como todo mundo, eles aprenderam na infância a acreditar que o amor estaria presente em sua vida. Ainda que tantos meninos sejam ensinados a se comportar como se o amor não importasse, em seu coração, anseiam por ele. Esse anseio não se dissipa simplesmente porque eles se tornam homens. Mentir, como uma forma de encenação, é um dos modos como articulam a raiva constante diante da promessa não cumprida de amor. Ao abraçarem o patriarcado, precisam abandonar ativamente o desejo de amar.

A masculinidade patriarcal exige que meninos e homens não só se vejam como mais poderosos e superiores às mulheres, mas que façam o que for preciso para manter sua posição de controle. Esse é um dos motivos pelos quais homens, bem mais do que mulheres, usam a mentira como modo de ganhar poder nos relacionamentos. Uma suposição bem aceita em uma cultura patriarcal é de que o amor pode estar presente em uma situação na qual um grupo ou indivíduo domina outro. Muitas pessoas acreditam que homens podem dominar mulheres e crianças, e ainda assim serem amorosos. O psicanalista Carl Jung enfatizou com perspicácia o truísmo segundo o qual "onde o desejo de poder é primordial, o amor estará ausente". Fale com qualquer grupo de mulheres a respeito de seus relacionamentos com homens, independentemente de raça ou classe, e você ouvirá histórias sobre desejo de poder, sobre o modo como homens se valem da mentira, o que inclui omitir informações, como forma de controlar e subordinar.

•••

Não por acaso, a aceitação cultural mais ampla da mentira em nossa sociedade coincidiu com a conquista de maior equidade social pelas mulheres. Nos primórdios do movimento feminista, as mulheres insistiam que os homens tinham vantagens porque geralmente controlavam as finanças. Agora que mais mulheres têm alcançado o poder (embora não em quantidade equivalente aos homens) e se tornado mais independentes economicamente, homens que querem manter seu domínio precisam empregar estratégias mais sutis para colonizar as mulheres e minar seu poder. Até mesmo a profissional mais bem-sucedida pode ser "derrubada" por estar em um relacionamento no qual deseja ser amada, mas é constantemente enganada. Na medida em que ela confia em seu companheiro, a mentira e outras formas de traição provavelmente despedaçarão sua autoconfiança e sua autoestima.

A obediência à dominação masculina exige que os homens que adotam esse pensamento (e muitos, se não a maioria, fazem isso) mantenham o domínio sobre as mulheres "a qualquer preço". Embora se dê muita atenção à violência doméstica e praticamente todo mundo concorde que é errado que os homens agridam as mulheres como forma de nos subordinar, a maioria dos homens usa terrorismo psicológico para subjugar mulheres. Trata-se de uma forma de coerção socialmente aceita. E mentir é uma das armas mais poderosas nesse arsenal. Quando os homens mentem para as mulheres, apresentando um "eu" falso, o terrível preço que pagam para manter o "poder" sobre nós é a perda de sua capacidade de dar e receber amor. A confiança é o fundamento da intimidade. Quando as mentiras erodem a confiança, conexões verdadeiras não podem se estabelecer. Ao passo que homens que dominam os outros podem experimentar e experimentam carinho, eles colocam uma barreira entre si e a experiência do amor.

Todos os pensadores visionários que questionam a dominação masculina insistem que os homens só podem voltar ao amor repudiando o desejo de dominar. Em *The End of Manhood*, Stoltenberg enfatiza continuamente que os homens só podem honrar sua identidade por meio de uma justiça amorosa. Ele afirma: "A justiça entre as pessoas talvez seja a conexão humana mais importante que se possa ter". Justiça amorosa para si e para os demais permite que os homens escapem do estrangulamento da masculinidade patriarcal. No capítulo "How We Can Have Better Relationships With The Women In Our Lives" [Como podemos ter relacionamentos melhores com as mulheres de nossa vida], Stoltenberg observa:

> A justiça amorosa entre um homem e uma mulher não tem qualquer chance quando a masculinidade é mais importante. Quando um homem decide amar mais a masculinidade que a justiça, há consequências previsíveis em todos os seus relacionamentos com mulheres [...]. Aprender a viver como um homem consciente significa decidir que sua lealdade às pessoas que você ama é sempre mais importante que qualquer inclinação de lealdade que você possa eventualmente sentir em relação ao julgamento de outros homens quanto a sua masculinidade.

Quando homens e mulheres são leais consigo mesmos e uns com os outros, quando amamos a justiça, compreendemos totalmente a miríade de formas pelas quais mentir reduz e desgasta a possibilidade de conexões significativas e carinhosas, o que levanta uma barreira ao amor.

Uma vez que, em nossa cultura, os valores e os comportamentos dos homens geralmente são padrões pelos quais todos determinam o que é aceitável, é importante compreender que tolerar a mentira é um componente essencial do pensamento patriarcal para todo mundo. De forma alguma os homens são o único grupo que usa mentiras como forma de ganhar poder sobre os outros. Na verdade, se a masculinidade patriarcal distancia os homens de sua identidade, é igualmente verdadeiro que as mulheres que aderem à feminilidade patriarcal — que insiste que as mulheres deveriam agir como se fossem fracas, incapazes de pensamento racional, burras, tolas — também são socializadas para usar uma máscara, para mentir. Esse é um dos temas principais de Lerner em *The Dance of Deception*. Com formulações astutas, ela convida as mulheres a prestarem conta de nossa participação em estruturas de fingimento e mentira — especialmente na vida familiar. As mulheres geralmente se sentem confortáveis mentindo para os homens com o intuito de manipulá-los, de modo que nos deem coisas que sentimos que queremos ou merecemos. Podemos mentir para reforçar a autoestima masculina. Essas mentiras podem se expressar como o ato de fingir sentir emoções que não sentimos ou de simular níveis de vulnerabilidade e necessidade emocional que são falsos.

Mulheres heterossexuais geralmente recebem lições de outras mulheres sobre a arte de mentir para os homens como uma forma de manipular. Muitos exemplos do apoio que as mulheres recebem para mentir se relacionam ao desejo de estabelecer um parceiro e de ter filhos. Quando eu desejava ter um bebê e meu companheiro na época não estava pronto, fiquei chocada com o número de mulheres que me encorajavam a desconsiderar os sentimentos dele e ir adiante sem lhe dizer. Elas achavam que não havia problema em negar a uma criança o direito de ser desejada tanto pela mãe quanto pelo pai biológicos. (Não há enganação envolvida quando uma mulher tem um filho com um doador de esperma, pois nesse caso não há um pai visível para rejeitar ou punir uma criança indesejada.) Fiquei perturbada com o fato de mulheres que eu respeitava não levarem a sério a necessidade da paternidade ou não acreditarem que o desejo do homem de ter filhos fosse tão importante quanto o da mulher. Queiramos ou não, ainda vivemos num mundo onde as crianças querem saber quem são seus pais e, quando podem, vão em busca desses pais ausentes. Eu não poderia imaginar trazer uma criança a este mundo com um pai que pudesse rejeitá-la porque, para começo de conversa, não queria ser pai.

Mulheres criadas nos anos 1950, antes que houvesse métodos anticoncepcionais adequados, eram extremamente conscientes da maneira como a gravidez indesejada poderia alterar o rumo da vida de uma jovem. No entanto, era claro que havia garotas que torciam por uma gravidez para se ligarem emocionalmente para sempre a um homem em particular. Eu pensava que esses tempos já tinham acabado havia muito. Contudo, mesmo em uma era de equidade entre os sexos, ouço histórias de mulheres que decidem engravidar quando um relacionamento está ruim como forma de forçar o homem a permanecer em sua vida, ou na esperança de pressionar por casamento. Mais do que possamos imaginar, muitos homens se sentem extremamente ligados a uma mulher quando ela dá à luz um filho seu. O fato de homens sucumbirem à mentira e à manipulação quando a questão é a paternidade biológica não torna isso correto ou justo. Homens que aceitam a manipulação ou as mentiras que lhes são contadas não estão apenas abdicando de seu poder, mas criando uma situação na qual podem "culpar" as mulheres ou justificar o ódio a elas.

Esse é outro caso em que a mentira é usada para ganhar poder sobre alguém, para segurá-lo contra a sua vontade. Harriet Lerner relembra as leitoras e os leitores que a honestidade é apenas um aspecto do ato de falar a verdade — equiparada à "excelência moral: uma ausência de farsa ou fraude". A máscara da "feminilidade" patriarcal frequentemente torna o fingimento das mulheres aceitável. Entretanto, quando as mulheres mentem, damos credibilidade a velhos estereótipos machistas que insinuam que mulheres são inerentemente menos capazes de falar a verdade em virtude de serem do sexo feminino. As origens desse estereótipo machista remontam às antigas histórias sobre Adão e Eva, sobre a disposição de Eva de mentir até para Deus.

Frequentemente, quando informações são retidas por mulheres e homens, a justificativa é proteger a privacidade. Em nossa cultura, privacidade é muitas vezes confundida com segredo. Pessoas honestas, abertas e que falam a verdade valorizam a privacidade. Todos nós precisamos de espaços onde possamos ficar sozinhos com nossos pensamentos e sentimentos — onde possamos experimentar autonomia psicológica saudável e decidir compartilhar quando quisermos. Manter segredos comumente se relaciona ao poder, a esconder e reter informação. É por isso que vários programas de reabilitação destacam que "você está tão doente quanto os seus segredos".

Quando a irmã de um ex-namorado me contou um segredo de família muito bem guardado envolvendo incesto, sobre o qual ele não sabia, respondi pedindo que ela contasse a ele. Se ela não contasse, eu contaria. Senti que manter aquele segredo violaria o compromisso que havíamos feito de sermos um casal franco e honesto um com o outro. Ao esconder essa informação dele, me unindo à sua mãe e às suas irmãs, eu teria participado da dinâmica disfuncional de sua família. Falar com ele afirmava minha lealdade e respeito por sua capacidade de lidar com a realidade.

Ao passo que a privacidade fortalece todos os nossos laços, o segredo enfraquece e prejudica a conexão. Lerner destaca que geralmente "não sabemos o custo emocional de mantermos um segredo" até que a verdade seja revelada. Comumente, manter segredo envolve mentir. E a mentira sempre é um ambiente em potencial para traição e violação de confiança.

A aceitação generalizada da mentira é uma das principais razões pelas quais muitos de nós nunca conheceremos o amor. É impossível alimentar o próprio crescimento espiritual ou o de outra pessoa quando o centro da identidade está envolto em segredos e mentiras. Confiar que outra pessoa sempre queira o seu bem, ter uma base sólida de prática amorosa, não pode acontecer num contexto de ilusão. É esse truísmo que torna todos os atos de retenção sensata de informações dilemas morais de primeira ordem. Mais do que nunca, enquanto sociedade, precisamos renovar o compromisso de dizer a verdade. Esse compromisso se torna difícil quando mentir é considerado mais aceitável que dizer a verdade. Mentir se tornou tão aceitável como norma que as pessoas mentem mesmo quando seria mais simples dizer a verdade.

Praticamente todos os profissionais de saúde mental, dos psicanalistas mais eruditos aos gurus de autoajuda menos treinados, nos dizem que é infinitamente mais compensador e que todos seríamos mais saudáveis se disséssemos a verdade, mas a maioria de nós não está com muita pressa para integrar o rol dos que o fazem. De fato, como alguém comprometida em ser honesta no meu dia a dia, experimento a irritação constante de ser vista como uma "anormal" por dizer a verdade, mesmo quando falo de maneira verdadeira sobre temas simples. Se um amigo me der um presente e me perguntar se gostei ou não, responderei de forma honesta e criteriosa, o que significa que falarei a verdade de uma maneira positiva, carinhosa. No entanto, mesmo nessa situação, a pessoa que pede honestidade frequentemente demonstrará irritação ao receber uma resposta sincera.

No mundo de hoje, somos ensinados a temer a verdade, a acreditar que ela sempre dói. Somos encorajados a ver pessoas honestas como ingênuas, como perdedores em potencial. Bombardeados por propaganda cultural pronta para nos instilar a ideia de que mentiras são mais importantes, de que a verdade não conta, todos nós somos vítimas em potencial. A cultura do consumo, em particular, encoraja a mentira. A publicidade é um dos meios culturais que mais a sanciona. Manter as pessoas num estado constante de falta, em desejo perpétuo, fortalece a economia de mercado. O desamor é uma bênção para o consumismo. E as mentiras fortalecem o mundo da publicidade predatória. Nossa aceitação passiva das mentiras na vida pública, particularmente através dos meios de comunicação de massa, encoraja e perpetua a mentira em nossa vida privada. No plano público, os tabloides não teriam nada para expor se vivêssemos nossa vida abertamente, comprometidos a dizer a verdade. O compromisso de conhecer o amor pode nos proteger, mantendo-nos empenhados em levar uma vida de verdade, dispostos a compartilhar quem somos aberta e completamente tanto na vida pública como na privada.

Para conhecer o amor, temos que dizer a verdade para nós mesmos e para os outros. Criar um "eu" falso para mascarar os medos e as inseguranças se tornou tão comum que muitos de nós esquecemos quem somos e o que sentimos sob o fingimento. Romper com essa negação é sempre o primeiro passo para descobrir nosso desejo de sermos honestos e claros. Mentiras e segredos nos sobrecarregam e nos estressam. Se um indivíduo sempre mentiu, ele não tem consciência de que dizer a verdade pode livrá-lo desse fardo pesado. Para saber disso, é necessário abandonar as mentiras.

Quando o feminismo começou, as mulheres falavam abertamente sobre nossa vontade de conhecer melhor os homens, de amá-los pelo que eles realmente são. Falávamos de nosso desejo de sermos amadas pelo que realmente somos (isto é, sermos aceitas como os seres físicos e espirituais que somos, em vez de sentir que precisamos nos transformar em seres de fantasia para nos tornarmos objeto do desejo masculino). E instamos os homens a serem verdadeiros com eles mesmos, a se expressarem. Então, quando os homens começaram a compartilhar seus pensamentos e sentimentos, algumas mulheres não conseguiram lidar com isso. Elas queriam as velhas mentiras e fingimentos de volta. Nos anos 1970, um popular cartão de aniversário mostrava uma mulher sentada diante de uma vidente encarando uma bola de cristal. A legenda na frente do cartão dizia: "Ele nunca fala sobre os sentimentos dele".

Do lado de dentro, a resposta era: "Ano que vem, às 14 horas, os homens começarão a falar dos seus sentimentos. E, às 14h05, as mulheres de todo o país se lamentarão". Quando ouvimos os pensamentos, os sentimentos e as crenças de outras pessoas, é mais difícil projetar nelas nossas percepções sobre quem são. É mais difícil ser manipulador. Às vezes as mulheres acham difícil ouvir o que muitos homens têm a dizer quando o que eles nos falam não está de acordo com nossas fantasias de quem são e de quem gostaríamos que fossem.

A criança ferida dentro de muitos homens é um menino que, da primeira vez que falou suas verdades, foi silenciado pelo sadismo paterno, por um mundo patriarcal que não queria que ele reivindicasse seus reais sentimentos. A criança ferida dentro de muitas mulheres é uma menina que foi ensinada desde os primórdios da infância que deveria se tornar outra coisa que não ela mesma e negar seus verdadeiros sentimentos, para atrair e agradar os outros. Quando homens e mulheres punem uns aos outros por dizer a verdade, reforçamos a ideia de que o melhor é mentir. Para sermos amorosos, precisamos estar dispostos a ouvir as verdades uns dos outros e, o mais importante, reafirmar o valor de dizer a verdade. As mentiras podem fazer as pessoas se sentirem melhor, mas não nos ajudam a conhecer o amor.

04.
compromisso: que o amor seja o amor-próprio

> *O compromisso é inerente a qualquer relacionamento genuinamente amoroso. Qualquer um que esteja realmente preocupado com o crescimento espiritual do outro sabe, consciente ou instintivamente, que só pode alimentar esse crescimento através de um relacionamento constante.*
>
> — M. Scott Peck

O compromisso de dizer a verdade estabelece os fundamentos para a abertura e a honestidade, que são a pulsação do amor. Quando podemos nos ver como realmente somos, e nos aceitamos, construímos os fundamentos necessários para o amor-próprio. Todos já ouvimos a máxima: "Se você não se ama, não poderá amar mais ninguém". Soa bem. No entanto, é muito comum sentirmos certo grau de confusão ao ouvir essa afirmação. A confusão surge pois a maioria das pessoas que pensam não serem dignas de receber amor tem essa percepção porque, em algum momento de sua vida, foi socializada por forças fora de seu controle para se ver indigna de amor. Nós não nascemos sabendo como amar alguém, quer se trate de nós mesmos ou de outra pessoa. Contudo, nascemos capazes de reagir ao carinho. Conforme crescemos, podemos dar e receber atenção, afeição e alegria. Aprender como nos amar e como amar os outros dependerá da existência de um ambiente amoroso.

O amor-próprio não pode florescer em isolamento. Não é uma tarefa fácil amar a si mesmo. Axiomas simples que fazem o amor-próprio soar fácil só tornam as coisas piores. Eles levam muitas pessoas a se perguntarem por que continuam presas a sentimentos de baixa autoestima e auto-ódio se é assim tão fácil se amar. Usar uma definição prática do amor como as ações que tomamos em favor de nosso crescimento espiritual ou o de outrem nos fornece um diagrama para trabalhar a questão do amor-próprio. Quando vemos o amor como uma combinação de confiança, compromisso, cuidado, respeito, conhecimento e responsabilidade, podemos trabalhar para desenvolver essas qualidades ou, se elas já forem parte de quem somos, podemos aprender a estendê-las a nós mesmos.

Muitas pessoas consideram útil examinar o passado de modo crítico, especialmente a infância, para mapear a internalização de mensagens que afirmavam que elas não tinham valor, não eram boas o suficiente, eram loucas, estúpidas, monstruosas, e por aí vai. Apenas entender como adquirimos esses sentimentos de inutilidade raramente nos permite mudar as coisas; em geral, é só uma etapa do processo. Assim como muitas outras pessoas, considerei útil examinar padrões de pensamento e comportamento negativos aprendidos na infância, especialmente aqueles que moldaram meu senso de *self* e identidade. Entretanto, esse processo sozinho não garantiu a autorrecuperação. Não foi suficiente. Compartilho isso porque é muito fácil ficar empacada na simples descrição, repetindo a própria história várias vezes, o que pode ser uma forma de se apegar ao luto ligado a esse passado ou a uma narrativa que põe a culpa nos outros.

Se é importante compreendermos as origens de uma autoestima frágil, também é possível ultrapassar esse estágio (a identificação de quando e onde recebemos socialização negativa) e ainda criar uma base para a construção do amor-próprio. Indivíduos que ultrapassam esse estágio tendem a avançar para o próximo, que consiste em introduzir ativamente em nossa vida padrões de pensamento e comportamento construtivos e positivos. Não é importante que as pessoas se lembrem dos detalhes do abuso. Quando a consequência desse abuso é um sentimento de falta de valor, elas ainda podem se envolver num processo de autorrecuperação ao encontrar formas de afirmar o próprio valor.

O coração ferido aprende o amor-próprio começando por superar a baixa autoestima. Em seu extenso livro *Autoestima e os seus seis pilares*, Nathaniel Branden destaca dimensões importantes da autoestima: "a prática de viver conscientemente, a autoaceitação, a autorresponsabilidade, a autoafirmação, viver com propósito e praticar a integridade pessoal". Viver conscientemente significa pensar criticamente sobre nós mesmos e o mundo em que vivemos. Ousar fazer perguntas básicas a nós mesmos: quem, o quê, quando, onde e por quê. Responder a essas questões geralmente nos fornece um grau de consciência que nos ilumina. Branden afirma: "Viver conscientemente significa buscar estar consciente de tudo o que sustenta nossas ações, propósitos, valores e objetivos — para melhorar nossa habilidade, seja ela qual for — e nos comportarmos de acordo com o que vemos e sabemos". Para viver conscientemente, temos que nos engajar em uma reflexão crítica a respeito do mundo em que vivemos e conhecê-lo mais intimamente.

Com frequência é por meio da reflexão que indivíduos que não se aceitavam tomam a decisão de parar de ouvir as vozes negativas, dentro e fora de si, que os rejeitam e os desvalorizam constantemente. Frases motivacionais funcionam para qualquer pessoa que esteja se esforçando para se aceitar. Embora durante anos eu tenha me interessado por formas terapêuticas de cura e autoajuda, frases motivacionais sempre me pareceram um pouco bregas. Minha irmã, que na época trabalhava como terapeuta na área de dependência química, me encorajou a dar uma chance para as frases motivacionais e ver se eu experimentaria mudanças concretas na minha percepção. Escrevi frases relevantes para o meu dia a dia e comecei a repeti-las como parte da minha meditação matinal. A primeira da minha lista era: "Estou rompendo com antigos padrões e seguindo adiante com a minha vida". Eu não só descobri que elas me davam uma tremenda injeção de energia — uma maneira de começar o dia acentuando a positividade — como também achei útil repeti-las durante o dia caso eu me sentisse particularmente estressada ou caindo no abismo do pensamento negativo. As frases motivacionais me ajudaram a restaurar meu equilíbrio emocional.

A autoaceitação é difícil para muitos de nós. Há uma voz interna que julga constantemente, primeiro nós mesmos e então os outros. Essa voz gosta da indulgência de uma crítica negativa sem fim. Como aprendemos a acreditar que a negatividade é mais realista, ela parece mais real do que qualquer voz positiva. Uma vez que começamos a substituir o pensamento negativo pelo positivo, fica claro que, longe de ser realista, o pensamento negativo é totalmente incapacitante. Quando somos positivos, não só aceitamos e afirmamos quem somos, mas também somos capazes de afirmar e aceitar os outros.

Quanto mais nos aceitamos, mais estamos preparados para assumir responsabilidades em todas as áreas da nossa vida. Ao comentar esse terceiro pilar da autoestima, Branden define a autorresponsabilidade como a disposição de "assumir a responsabilidade pelas minhas ações e a realização dos meus objetivos, [...] pela minha vida e pelo meu bem-estar". Assumir a responsabilidade não significa negar a realidade da injustiça institucionalizada. Por exemplo, o racismo, o machismo e a homofobia criam barreiras e incidentes concretos de discriminação. Simplesmente assumir responsabilidade não significa que possamos impedir que atos discriminatórios ocorram. No entanto, podemos escolher como reagimos aos atos de injustiça. Assumir a responsabilidade significa que, diante de barreiras, ainda temos a capacidade de inventar nossa vida, de moldar nosso destino de formas que ampliem nosso bem-estar ao máximo. Todos os dias praticamos essa transmutação para lidar com realidades que não podemos mudar facilmente.

Muitas mulheres são casadas com homens que não as apoiaram quando decidiram investir em sua própria educação. A maioria dessas mulheres não abandonou os homens da sua vida; elas desenvolveram estratégias construtivas de resistência. Uma mulher com quem conversei estava inibida porque seu marido trabalhava numa fábrica e ela se sentia desconfortável por ter mais educação formal que ele. No entanto, ela queria voltar ao mercado de trabalho e, para isso, precisava de uma pós-graduação. Ela fez a escolha de assumir a responsabilidade por suas necessidades e seus desejos, acreditando que isso também melhoraria o bem-estar da família. Voltar a trabalhar aumentou sua autoestima e modificou a raiva passivo-agressiva e a depressão que ela havia desenvolvido como consequência do isolamento e da estagnação. Entretanto, tomar essa decisão e encontrar maneiras de realizá-la não foi um processo fácil. O marido e os filhos se mostravam desapontados quando a independência dela os forçava a aceitar mais responsabilidades em relação ao trabalho doméstico. No longo prazo, todos se beneficiaram. Sem falar que essas mudanças fortaleceram a autoestima dela de maneiras que lhe mostraram como o amor-próprio tornou possível estar disponível para os outros de um jeito construtivo. Ela estava mais feliz e todos ao seu redor também.

Para fazer essas mudanças, ela precisou usar outro aspecto vital da autoestima, a "autoafirmação", definida por Branden como "a disposição de se posicionar em favor de si mesmo, de ser quem sou abertamente, de me tratar com respeito em todos os encontros humanos". Uma vez que muitos de nós fomos constrangidos na infância, fosse em nossas famílias de origem ou nos ambientes escolares, o curso de ação que comumente escolhemos para evitar conflitos era o padrão aprendido de seguir o fluxo e não fazer alarde. Quando éramos crianças, os conflitos via de regra compunham o contexto para desprezo e humilhações, ou seja, os espaços em que éramos constrangidos. Nossas tentativas de autoafirmação não funcionavam adequadamente como defesa. Muitos de nós aprendemos que a passividade reduzia a possibilidade de ataque.

A socialização machista ensina às mulheres que a autoafirmação é uma ameaça à feminilidade. Aceitar essa lógica equivocada prepara o terreno para a baixa autoestima. O medo de ser assertiva costuma emergir em mulheres que foram treinadas para ser boas meninas ou filhas prestativas. No lar da nossa infância, meu irmão nunca foi punido por retrucar. Afirmar suas opiniões era um sinal positivo de masculinidade. Quando minhas irmãs e eu expressávamos nossas opiniões, nossos pais diziam que esse comportamento era negativo e indesejável. Ouvíamos, especialmente do nosso pai, que a assertividade das mulheres não era feminina. Não escutávamos esses avisos. Embora nossa casa fosse um lar patriarcal, o fato de que as mulheres eram bem mais numerosas que os dois homens, meu pai e meu irmão, fazia com que fosse seguro expressar nossos pensamentos, retrucar. Por sorte, no momento em que nos tornamos jovens adultas, o movimento feminista já havia chegado e validado que ter voz e ser assertiva era necessário para construir autoestima.

Uma das razões pelas quais as mulheres tradicionalmente fofocam mais que os homens é o fato de a fofoca ser uma interação social na qual elas encontram conforto para dizer o que realmente pensam e sentem. Com frequência, em vez de afirmar o que pensam no momento apropriado, as mulheres dizem o que consideram que vai agradar o interlocutor. Depois, elas fofocam, expressando então seus pensamentos verdadeiros. Essa divisão entre um "eu" falso inventado para agradar os outros e um "eu" mais autêntico não existe quando cultivamos uma autoestima positiva.

•••

O movimento feminista realmente ajudou as mulheres a compreender o poder pessoal que se adquire com uma autoafirmação positiva. A obra *A revolução interior: um livro de autoestima*, um *best-seller* de Gloria Steinem, alertou as mulheres quanto ao perigo de alcançar o sucesso sem estabelecer as bases necessárias para o amor-próprio e a autoestima. Ela descobriu que mulheres bem-sucedidas que ainda sofriam de auto-ódio internalizado invariavelmente agiam de formas que minavam suas realizações. E, caso a pessoa bem-sucedida que sofre de auto-ódio não tenha se sabotado, ela pode ter vivido num desespero particular, incapaz de dizer aos outros que o sucesso não põe fim, de fato, à falta de autoestima. Para complicar as coisas, as mulheres podem sentir necessidade de fingir que amam a si mesmas, para projetar confiança e poder para o mundo exterior e, como consequência, sentirem-se num conflito psicológico, desconectadas de seu "eu" verdadeiro. Envergonhadas pelo sentimento de que nunca poderão deixar ninguém saber quem realmente são, elas podem escolher o isolamento e a solidão por medo de serem desmascaradas.

Isso também ocorre com os homens. Quando homens poderosos alcançam o topo do reconhecimento profissional em sua carreira, frequentemente sabotam tudo o que construíram agindo de forma autodestrutiva. Homens que ocupam as posições mais baixas no totem da economia nacional fazem isso, assim como os do topo. O presidente Bill Clinton agiu de forma hipócrita, traindo tanto seus compromissos pessoais em relação à sua família como seu compromisso de ser um modelo dos valores estadunidenses para o povo deste país. Ele fez isso justamente quando sua popularidade estava no auge. Depois de passar boa parte da vida avançando contra todas as probabilidades, suas ações expuseram uma falha fundamental em sua autoestima. Embora ele seja um homem branco, educado em uma universidade de elite e economicamente abastado, privilegiado, com todas as mordomias, suas ações irresponsáveis eram uma forma de se desmascarar, de mostrar ao mundo que não era o "bom sujeito" que fingia ser. Ele criou o contexto para um escândalo público que, sem dúvidas, espelha momentos de vergonha da infância, quando alguma figura de autoridade em sua vida o fez sentir que não tinha valor, que nunca seria digno, não importa o que fizesse. Qualquer um que sofra de baixa autoestima pode aprender com esse exemplo. Se atingirmos o sucesso sem confrontar e alterar as bases trêmulas de ódio e desprezo nas quais nossa baixa autoestima está fundamentada, fraquejaremos ao longo do caminho.

•••

Não por acaso, "viver com propósito" é o sexto elemento da autoestima. De acordo com Branden, isso implica assumir a responsabilidade de criar objetivos conscientemente, de identificar as ações necessárias para alcançá-los, garantir que nosso comportamento está alinhado com nossos objetivos e prestar atenção ao resultado de nossas ações para que vejamos se elas estão nos levando aonde queremos ir. A maioria das pessoas se preocupa em viver com propósito quando se trata da escolha profissional. Infelizmente, muitos trabalhadores sentem que têm pouquíssima liberdade de escolha em relação à profissão. A maioria das pessoas não cresce sabendo que o trabalho que escolhemos terá grande impacto em nossa capacidade de ter amor-próprio.

O trabalho ocupa muito de nosso tempo. Fazer um trabalho que odiamos ataca nossa autoestima e nossa autoconfiança.

A maioria dos trabalhadores não pode fazer o trabalho que ama. Contudo, todos podemos aprimorar nossa capacidade de viver com propósito aprendendo como experimentar satisfação em qualquer profissão que desempenhemos. Encontramos essa satisfação ao nos comprometermos totalmente com o trabalho que temos, seja qual for. Quando tive um emprego de professora que odiava (o tipo de trabalho em que você deseja ficar doente para ter uma desculpa para não ir), o único modo que eu tinha de aliviar a profundidade da minha dor era dar meu melhor. Essa estratégia me permitia viver com propósito. Fazer bem o trabalho, ainda que não gostemos do que estamos fazendo, suscita um sentimento de bem-estar, mantém nossa autoestima intacta. Essa autoestima nos ajuda quando vamos em busca de um trabalho que pode ser mais compensador.

Ao longo da minha vida não me aventurei apenas em busca de um trabalho de que gostasse, mas também de trabalhar com pessoas que eu respeitasse, de quem gostasse ou amasse. A primeira vez em que declarei o desejo de trabalhar num ambiente de trabalho amoroso, meus amigos agiram como se eu estivesse louca. Para eles, amor e trabalho não andam juntos. No entanto, eu estava convencida de que trabalharia melhor em um ambiente moldado por uma ética amorosa. Hoje em dia, como o conceito budista de "modo de vida correto" é compreendido mais amplamente, mais pessoas abraçam a crença de que o trabalho que melhora o nosso bem-estar espiritual fortalece a nossa capacidade de amar. E quando trabalhamos com amor, criamos um ambiente de trabalho amoroso. Toda vez que entro num escritório, consigo sentir imediatamente, pela atmosfera e pelo humor geral, se os trabalhadores gostam ou não do que fazem. Em *Siga sua vocação que o dinheiro vem*,

Marsha Sinetar escreve sobre esse conceito como forma de encorajar os leitores a correrem o risco de escolher um trabalho com o qual se importem, aprendendo com a experiência o significado de um modo de vida correto.

Embora existam muitos *insights* significativos no livro de Sinetar, também é verdade que podemos seguir nossas vocações e nem sempre o dinheiro virá. Apesar de ser totalmente decepcionante, isso pode também nos dar a consciência prática de que fazer o que se ama é mais importante do que ganhar muito dinheiro. Por vezes, como tem sido na minha vida, tive que trabalhar em empregos que não traziam satisfação para ter condições de fazer o trabalho que amo. A certa altura de uma carreira profissional muito heterogênea, trabalhei como cozinheira numa casa noturna. Eu odiava o barulho e a fumaça. No entanto, trabalhar à noite me deixava livre para escrever durante o dia, para fazer o trabalho que eu realmente queria fazer. Cada experiência aprimorava o valor da outra. Meu emprego noturno me ajudou a aproveitar a tranquila serenidade do meu dia e apreciar o tempo sozinha, tão essencial para a escrita.

Sempre que possível, é melhor procurar um emprego que amamos e evitar um que odiamos. Entretanto, às vezes aprendemos o que precisamos evitar justamente fazendo-o. Indivíduos que podem ser economicamente autossuficientes fazendo o que amam são abençoados. Suas experiências servem como um farol para todos nós, mostrando as maneiras como o modo de vida correto é capaz de fortalecer o amor-próprio, garantindo a paz e o contentamento na vida que levamos para além do trabalho.

É comum que os trabalhadores acreditem que, se sua vida doméstica for boa, não importa que eles se sintam desumanizados e explorados no trabalho. Muitos empregos corroem o amor-próprio porque exigem que os funcionários provem seu valor constantemente. Indivíduos insatisfeitos e infelizes no trabalho trazem essa energia negativa para casa. Claramente, muito da violência na vida doméstica, tanto física como verbal, está relacionada à infelicidade com o trabalho. Nós podemos estimular amigos e pessoas que amamos a se moverem em direção a mais amor-próprio, apoiando-os em qualquer esforço para deixar um emprego que ataque seu bem-estar.

Pessoas que não fazem parte da força de trabalho remunerada, mulheres e homens que realizam trabalho doméstico sem receber, assim como todas as outras pessoas desempregadas e satisfeitas com isso, geralmente estão fazendo o que querem. Embora não sejam recompensadas com um salário, seu dia a dia frequentemente lhes oferece mais satisfação do que se trabalhassem em um emprego bem pago num ambiente estressante e desumanizante. Donas e donos de casa satisfeitos, as mulheres e os raros homens que escolheram ficar em casa, têm muito a ensinar a todos nós a respeito das alegrias que vêm da autorrealização. Eles são seus próprios chefes, estabelecendo as condições de seu trabalho e a medida de suas recompensas. Mais que qualquer um de nós, têm liberdade para desenvolver o modo de vida correto.

Muitos de nós não aprendemos na juventude que nossa capacidade de amar a nós mesmos seria moldada pelo trabalho que fazemos ou que o trabalho aumenta o nosso bem-estar. Não surpreende que tenhamos nos tornado uma nação onde muitos trabalhadores se sentem mal. Empregos deprimem o espírito. Em vez de aprimorar a autoestima, o trabalho é percebido como um fardo, uma necessidade negativa. Trazer amor para o ambiente de trabalho pode criar a transformação necessária para que qualquer trabalho que façamos, não importa quão subalterno, se torne um âmbito em que os trabalhadores possam expressar seu melhor. Quando trabalhamos com amor, renovamos nosso espírito; essa renovação é um ato de amor-próprio que alimenta nosso crescimento. Não é o que você faz, mas como faz.

Em *The Knitting Sutra: Crafts as a Spiritual Practice* [O sutra do tricô: artesanato como prática espiritual], Susan Lydon descreve o trabalho de tricotar como uma atividade manual escolhida livremente que aumentou sua consciência do valor do modo de vida correto. Ela afirma: "O que descobri nesse pequeno mundo doméstico do tricô é infinito; ele se amplia e se aprofunda mais do que qualquer um possa imaginar. É infinito e aparentemente inesgotável em sua capacidade de inspirar, excitar e provocar *insights* criativos". Lydon vê o mundo que tradicionalmente consideramos "trabalho de mulher" como um lugar para descobrir a devoção por meio do êxtase da criação doméstica. Um lar feliz é um lugar onde o amor pode florescer.

Criar felicidade doméstica é especialmente útil para pessoas que moram sozinhas e estão aprendendo a amar a si mesmas. Quando nos esforçamos intencionalmente para tornar a nossa casa um lugar onde estamos prontos para dar e receber amor, cada objeto que colocamos ali aumenta o nosso bem-estar. Eu crio temas para minhas casas. Meu apartamento na cidade tem como tema "lugar de encontrar o amor". Como uma pessoa de cidade pequena que se mudou para a cidade grande, achei que precisava que o meu ambiente realmente se parecesse com um santuário. Como meu apartamento de um quarto é muito menor que os lugares onde me habituei a morar, decidi levar apenas objetos que eu realmente amava — as coisas sem as quais eu sentia que não poderia ficar. É impressionante a quantidade de coisas das quais podemos nos desapegar. Minha casa no interior tem como tema o deserto. Eu a chamo de *"soledad hermosa"*, a beleza de estar só. Vou para lá para ficar calma e sossegada, para ter a experiência do divino, para me renovar.

•••

De todos os capítulos deste livro, este foi o mais difícil de escrever. Quando falei com amigos e conhecidos sobre amor-próprio, fiquei surpresa em ver como muitos de nós se sentem inquietos diante dessa noção, como se a simples ideia implicasse narcisismo ou egoísmo demais. Todos nós precisamos nos livrar de ideias equivocadas a respeito do amor-próprio. Precisamos parar de igualar covardemente o amor-próprio a egoísmo ou egocentrismo.

Amor-próprio é a base de nossa prática amorosa. Sem ele, nossos outros esforços amorosos falham. Ao dar amor a nós mesmos, concedemos ao nosso ser interior a oportunidade de ter o amor incondicional que talvez tenhamos sempre desejado receber de outra pessoa. Quando interagimos com os outros, o amor que damos e recebemos sempre é necessariamente condicional. Embora não seja impossível, é muito difícil e raro que sejamos capazes de estender o amor incondicional aos outros, em grande parte porque não temos como exercer controle sobre o comportamento deles e não podemos prever ou controlar totalmente nossas reações a suas ações. Podemos, contudo, exercitar controle sobre as nossas. Podemos nos dar o amor incondicional que é o fundamento para a aceitação e a afirmação sustentadas. Quando nos damos esse presente precioso, somos capazes de alcançar os outros a partir de um lugar de satisfação, e não de falta.

Um dos melhores guias para amar a si mesmo é nos dar o amor que geralmente sonhamos receber dos outros. Houve uma época, depois dos quarenta, em que eu me sentia péssima em relação ao meu corpo, me considerava muito gorda, muito isso, muito aquilo. No entanto, eu fantasiava encontrar um amante que me daria o presente de ser amada como sou. É bobo que eu sonhasse com outra pessoa me oferecendo a aceitação e a afirmação que eu mesma me negava, não é? Esse foi um momento em que a máxima "Se você não se ama, não poderá amar mais ninguém" fez todo sentido. E acrescento: "Não espere receber de outra pessoa o amor que você não dá a si mesma".

Em um mundo ideal, todos aprenderíamos na infância a amarmos a nós mesmos. Cresceríamos seguros de nosso valor e merecimento, espalhando amor aonde quer que fôssemos, deixando nossa luz brilhar. Se não aprendemos o amor-próprio na juventude, ainda há esperança. A luz do amor está sempre em nós, não importa quão fria esteja a chama. Ele está sempre presente, esperando uma fagulha que o inflame, esperando que o coração desperte e nos leve de volta para a primeira lembrança de ser a força da vida dentro de um lugar escuro esperando para nascer — esperando para ver a luz.

05.
espiritualidade:
o amor divino

Como mulher e amante, contudo, sou movida pela visão do meu Amado. Onde Ele está, eu quero estar. O que Ele sofre, quero partilhar. O que Ele é, eu quero ser: crucificada por amor.

— Santa Teresa d'Ávila

Viver a vida em contato com espíritos divinos nos permite ver a luz do amor em todos os seres vivos. Essa luz é uma força vital que ressuscita. Uma cultura que está morta para o amor só pode ser ressuscitada pelo despertar espiritual. Na superfície, parece que nosso país foi tão longe no caminho do individualismo secular, adorando os deuses gêmeos do dinheiro e do poder, que parece não haver espaço para a vida espiritual. No entanto, a imensa maioria dos estadunidenses, que expressa sua fé no cristianismo, no judaísmo, no islamismo, no budismo ou em outra tradição religiosa, claramente acredita que a vida espiritual é importante. A crise na vida estadunidense não parece ser causada por falta de interesse na espiritualidade. Contudo, esse interesse é constantemente cooptado pelas forças poderosas do materialismo e do consumismo hedonista.

Na conclusão de *A arte de amar*, livro perspicaz escrito em meados dos anos 1950, mas ainda relevante no mundo de hoje, o psicanalista Erich Fromm corajosamente chama atenção para o fato de que "o princípio que alicerça a sociedade capitalista e o princípio do amor são incompatíveis". Ele observa: "Nossa sociedade é dirigida por uma burocracia gerencial, por políticos profissionais; o povo é motivado pela sugestão da massa, seu alvo é produzir mais e consumir mais, como finalidades em si". A ênfase cultural no consumo interminável desvia a atenção da fome espiritual. Somos ininterruptamente bombardeados por mensagens que nos dizem que todas as nossas necessidades podem ser satisfeitas pelo acúmulo material. A artista Barbara Kruger criou uma obra que proclama "Compro, logo sou" para mostrar como o consumismo tomou conta da consciência coletiva, fazendo as pessoas pensarem que elas são o que possuem. Quando o afã de ter se intensifica, o mesmo acontece com a sensação de vazio espiritual. Por nos sentirmos vazios espiritualmente, tentamos nos preencher com o consumismo. Podemos não ter amor o suficiente, mas sempre podemos comprar.

Em nosso país, a fome espiritual emerge da consciência penetrante da ausência emocional em nossa vida. Ela é uma reação ao desamor. Ir à igreja ou ao templo não tem satisfeito essa fome, que emerge das profundezas da nossa alma. A religião organizada tem falhado na satisfação da fome espiritual porque ela se acomodou a demandas seculares, interpretando a vida espiritual de formas que sustentam os valores de uma cultura centrada na produção de mercadorias. Isso é verdade tanto para as igrejas cristãs tradicionais quanto para a espiritualidade *new age*. Não por acaso tantos professores famosos de espiritualidade *new age* relacionam seus ensinamentos a uma metafísica da vida prática que exalta as virtudes da riqueza, do privilégio e do poder. Por exemplo, observe a lógica *new age* que sugere que os pobres escolheram ser pobres, escolheram seu sofrimento. Esse pensamento retira de todos nós que somos privilegiados o fardo da responsabilidade. Em vez de nos convocar para abraçar o amor e mais comunhão, ele, na verdade, demanda um investimento na lógica da alienação e do distanciamento.

A interdependência básica da vida é ignorada de modo que a separação e o ganho individual possam ser divinizados. O fundamentalismo religioso frequentemente é representado como uma prática espiritual autêntica e recebe um nível de exposição na mídia que o pensamento e a prática religiosa da contracultura nunca receberam. Em geral, os fundamentalistas, sejam eles cristãos, muçulmanos ou de qualquer fé, moldam e interpretam o pensamento religioso para fazê-lo se conformar a um *status quo* conservador, legitimando-o. Pensadores fundamentalistas usam a religião para justificar o apoio ao imperialismo, ao militarismo, ao machismo, ao racismo e à homofobia. Eles negam a mensagem unificadora de amor que está no coração de todas as principais tradições religiosas.

Não surpreende que muitas pessoas que dizem acreditar em ensinamentos religiosos não permitam que seus hábitos reflitam suas crenças. Por exemplo, as igrejas cristãs continuam entre as instituições com mais segregação racial em nossa sociedade. Na carta de Martin Luther King Jr. aos cristãos estadunidenses, na qual assume a *persona* do apóstolo Paulo, ele repreende os crentes por apoiarem a segregação:

Estadunidenses, eu devo convocá-los a se livrarem de todos os aspectos da segregação. A segregação é uma flagrante negação da unidade que nós temos em Cristo. Ela substitui um relacionamento entre "mim e você" por uma relação entre "mim e aquilo", e relega as pessoas ao status de coisas. Ela deixa cicatrizes na alma e degrada a personalidade. [...] Destrói a comunidade e torna a fraternidade impossível.

Esse é apenas um exemplo da forma como as religiões organizadas veneram corruptos e violam princípios religiosos sobre como deveríamos viver no mundo e como deveríamos agir uns em relação aos outros. Imagine como nossa vida seria diferente se todos os indivíduos que se dizem cristãos, ou que alegam ser religiosos, servissem de exemplo para todos, sendo amorosos.

Flagrantes usos equivocados da espiritualidade e da fé religiosa poderiam nos levar ao desespero em relação à vida espiritual se não estivéssemos testemunhando, ao mesmo tempo, uma preocupação genuína com o despertar espiritual expressa pela contracultura. Sejam os budistas estadunidenses trabalhando em solidariedade para libertar o Tibete, ou as muitas organizações de bases cristãs que oferecem apoio na forma de comida e abrigo para necessitados do mundo todo, essas manifestações de prática amorosa renovam nossas esperanças e restauram a alma. Em todo o mundo, a teologia da libertação oferece aos explorados e aos oprimidos uma visão de liberdade espiritual ligada às lutas pelo fim da dominação.

Pouco mais de dez anos depois de Fromm ter lançado *A arte de amar*, a coletânea de sermões de Martin Luther King Jr., *Strength to love* [Força para amar] foi publicada. O foco principal desses discursos era a celebração do amor como uma força espiritual que une e interliga todas as vidas. Como a obra de Fromm, esses textos defendiam a vida espiritual, criticando o capitalismo, o materialismo e a violência usada para impor a exploração e a desumanização. Em uma palestra de 1967 contra a guerra, King declarou:

> Quando eu falo de amor, não estou falando de uma reação sentimental e fraca. Estou falando daquela força que todas as grandes religiões veem como o supremo princípio unificador da vida. O amor, de alguma forma, é a chave que abre a porta que leva à última realidade. Essa crença hindu-muçulmana-cristã-judaico-budista na última realidade é lindamente resumida na primeira epístola de São João: "Amemo-nos uns aos outros, pois o amor é de Deus e todo aquele que ama nasceu de Deus e conhece a Deus".

Ao longo de sua vida, King foi um profeta do amor. No fim dos anos 1970, quando já não era legal falar de espiritualidade, me via voltando repetidamente à sua obra e à de Thomas Merton. Como pensadores e sujeitos em uma busca religiosa, ambos dirigiram sua atenção à prática do amor como forma de realização espiritual.

Exaltando o poder transformador do amor no ensaio "Love and Need" [Amor e necessidade], Merton escreve:

> O amor é, de fato, uma intensificação da vida, uma completude, uma satisfação, uma inteireza da vida. [...] A vida se curva para cima atingindo um pico de intensidade, um ponto alto de valor e significado, em que todas as suas possibilidades criativas latentes entram em ação e a pessoa transcende a si mesma no encontro, na reação e na comunhão com o outro. É para isso que viemos

ao mundo — essa comunhão e autotranscendência. Não nos tornamos completamente humanos até que nos entreguemos uns aos outros no amor.

Os ensinamentos sobre amor oferecidos por Fromm, King e Merton diferem de boa parte dos textos de hoje. Em suas obras, há sempre uma ênfase no amor como uma força ativa que deveria nos levar a uma comunhão mais ampla com o mundo. Seus textos apontam que a prática amorosa não está direcionada a simplesmente dar ao indivíduo maior satisfação na vida; ela é exaltada como a maneira básica de pôr fim à dominação e à opressão. Essa importante politização do amor geralmente está ausente nos escritos atuais.

Por mais que eu goste das populares reflexões *new age* a respeito do amor, com frequência me bato com o perigoso narcisismo promovido pela retórica espiritual que dá tanta atenção ao aprimoramento individual, deixando de lado a prática do amor no contexto da comunidade. Embrulhada como um produto, a espiritualidade se torna igual a um programa de exercícios. Embora possa fazer o consumidor se sentir melhor em relação à sua vida, seu poder de melhorar nossa comunhão com nós mesmos e com os outros de maneira consistente é inibido. Em *Vida ativa: nossa jornada num mundo de criatividade, espiritualidade e ação*, Parker Palmer comenta o valor da vida engajada, destacando:

> Estar completamente vivo é agir. [...] Compreendo a ação como qualquer forma em que podemos cocriar a realidade com outros seres e o Espírito. [...] A ação, como um sacramento, é uma forma visível de um espírito invisível, uma manifestação externa de um

poder interior. Contudo, conforme agimos, não apenas expressamos o que está em nós e ajudamos a moldar o mundo; nós também recebemos o que está fora de nós e remodelamos nosso eu interior.

Compromisso com a vida espiritual exige que façamos mais que ler um bom livro ou ir a um retiro restaurador. Demanda prática consciente, uma disposição de unir a forma como pensamos e a forma como agimos.

A vida espiritual tem a ver, em primeiro lugar, com o compromisso com uma forma de pensar e agir que honre os princípios de interconexão e simbiose. Quando falo do espiritual, me refiro ao reconhecimento dentro de cada um de que existe um lugar de mistério na nossa vida onde forças que estão além do desejo ou da vontade humana alteram as circunstâncias e/ou nos guiam e nos direcionam. Chamo essas forças de "espírito divino". Quando escolhemos levar uma vida preenchida pela espiritualidade, reconhecemos e celebramos a presença de espíritos transcendentes. Algumas pessoas chamam essa presença de alma, de Deus, de Amado, de consciência elevada ou de poder superior. Há ainda os que dizem que essa força é o que é porque não pode ser nomeada. Para eles, é simplesmente o espírito se movendo em nós e através de nós.

O compromisso com a vida espiritual necessariamente significa que abraçamos o princípio eterno de que o amor é tudo, todas as coisas, nosso verdadeiro destino. Apesar da pressão massacrante para nos conformarmos à cultura do desamor, nós ainda buscamos conhecer o amor. Essa busca em si é uma manifestação do espírito divino. O niilismo que ameaça a vida é abundante na cultura contemporânea, atravessando as fronteiras de raça, classe, gênero e nacionalidade. Em algum ponto, ele afeta a vida de todos. Todo mundo que conheço às vezes é derrubado por sentimentos de depressão e desespero em relação à situação do mundo. Seja pela presença mundial da violência manifestada na persistência da guerra, da fome e da miséria provocadas pelo homem, pela realidade de um cotidiano violento, pela presença de doenças que representam risco de vida e causam a partida inesperada de amigos, de companheiros, de pessoas que amamos, há muitas coisas que podem levar alguém à beira do desalento. Conhecer o amor ou a esperança de conhecer o amor é a âncora que nos impede de cair num mar de desânimo profundo. Em *Um caminho com o coração: como vivenciar a prática da vida espiritual nos dias de hoje*, Jack Kornfield afirma: "O anseio pelo amor e o movimento do amor estão na base de todas as nossas atividades".

A espiritualidade e a vida espiritual nos dão forças para amar. É raro que indivíduos que não tiveram contato com pensamentos e práticas religiosos tradicionais escolham uma vida no espírito, que honre as dimensões sagradas da vida diária. Professores espirituais são guias importantes que nos oferecem um catalisador para nosso despertar espiritual. Outra fonte de crescimento espiritual são a comunhão e o companheirismo com almas semelhantes. Quem está numa busca espiritual permite que sua luz brilhe para que os outros possam ver, não apenas para servir de exemplo, mas também como um lembrete constante para si mesmo de que a espiritualidade é manifestada da maneira mais gloriosa em nossas ações — em nossos hábitos de existência. Jack Kornfield explica com perspicácia:

Todos os outros ensinamentos espirituais são em vão se não pudermos amar. Até mesmo os estados mais exaltados e as realizações espirituais mais excepcionais são desimportantes se não pudermos ser felizes das formas mais básicas e comuns, se, com nosso coração, não pudermos tocar uns aos outros e a vida que nos foi dada. O que importa é como vivemos.

Para muitos de nós, a igreja foi o lugar onde ouvimos pela primeira vez uma contranarrativa a respeito do amor, que diferia das mensagens confusas aprendidas em famílias disfuncionais. As dimensões místicas da fé cristã (a crença de que todos somos um, de que o amor é tudo) que me foram apresentadas na infância pela igreja constituíram um espaço de redenção. Na igreja, eu não só aprendi a entender que Deus é amor, mas também que as crianças eram especiais no coração e na mente do espírito divino. Sonhando em me tornar escritora, valorizando a vida intelectual acima de todas as coisas, era especialmente incrível aprender de cor passagens da primeira carta do apóstolo Paulo aos Coríntios, "o capítulo do amor". Desde a infância, tenho refletido com frequência sobre a passagem que proclama:

> Ainda que eu falasse línguas, as dos homens e as dos anjos, se eu não tivesse o amor, seria como sino ruidoso ou como címbalo estridente. Ainda que eu tivesse o dom da profecia, o conhecimento de todos os mistérios e de toda a ciência, ainda que tivesse toda a fé, a ponto de transportar montanhas, se não tivesse o amor, eu nada seria. Ainda que eu distribuísse todos os meus bens aos famintos, ainda que entregasse o meu corpo às chamas, se não tivesse o amor, nada disso me adiantaria.

Durante meus anos de pós-graduação, enquanto trabalhava duro para terminar o doutorado, me esforçando para manter um compromisso com a vida espiritual em um mundo que não a valoriza, eu voltava a essas lições sobre a primazia do amor. A sabedoria que elas transmitem impedia que eu endurecesse meu coração. Manter-me aberta para o amor foi crucial para minha sobrevivência acadêmica. Quando o ambiente no qual você vive e que conhece mais intimamente não valoriza o amor, a vida espiritual oferece um lugar de conforto e renovação.

Não por acaso, adquirir conhecimento sobre espiritualidade não é o mesmo que se comprometer com uma vida espiritual. Jack Kornfield relata:

> Ao levar uma vida espiritual, o que importa é simples: devemos ter a certeza de que o nosso caminho está conectado ao nosso coração. No início de uma verdadeira jornada espiritual, temos que ficar próximos do nosso lar, focar diretamente aquilo que está diante de nós, ter certeza de que o nosso caminho está conectado com nosso amor mais profundo.

Quando começamos a experimentar o sagrado em nossa vida diária, trazemos para as tarefas mundanas um tipo de concentração e envolvimento que eleva o espírito. Isso é especialmente verdadeiro quando enfrentamos dificuldades. Muitas pessoas se voltam para o pensamento espiritual apenas quando vivenciam problemas, na esperança de que a tristeza e a dor desaparecerão milagrosamente. Em geral elas descobrem que esse lugar de sofrimento — onde nosso espírito é quebrado —, quando aceito e acolhido, é também um lugar de paz e de possibilidade. Nossos sofrimentos não se acabam magicamente;

em vez disso, somos capazes de sabiamente reciclá-los com alquimia. Eles se tornam os restos que usamos para possibilitar um novo crescimento. É por isso que as escrituras bíblicas nos aconselham a "contar todas as alegrias quando encontrarmos muitos desafios". Aprender a acolher nosso sofrimento é um dos dons oferecidos pela vida e pela prática espirituais.

Para ser significativa, a prática espiritual não precisa estar conectada à religião organizada. Alguns indivíduos encontram sua conexão sagrada com a vida em comunhão com o mundo natural ou se envolvendo em práticas que honram os ecossistemas que mantêm a vida. Nós podemos meditar, rezar, ir ao templo, à igreja, à mesquita ou criar um santuário tranquilo onde moramos para entrar em contato com os espíritos sagrados. Para algumas pessoas, servir diariamente os outros é uma prática espiritual afirmativa, que expressa seu amor por outrem. Quando estabelecemos o compromisso de estar em contato com forças divinas que influenciam nosso mundo interior e exterior, estamos escolhendo conduzir a vida no espírito.

Eu estudo ensinamentos espirituais como um guia para reflexão e ação. O despertar espiritual contracultural é visível em livros e revistas, assim como em pequenos círculos onde indivíduos se reúnem para celebrar e comungar com o divino. O companheirismo com pessoas que estão em busca da verdade oferece uma inspiração essencial. Uma vez que as raízes iniciais da minha prática espiritual se encontravam na tradição cristã, ainda considero a igreja tradicional um lugar de culto e companheirismo, e também participo da prática budista. Medito e rezo. Cada um deve escolher a prática espiritual que mais contribui para sua vida. É por isso que pessoas progressistas em busca da verdade nos convocam a sermos todos tolerantes — a lembrar que, embora nossos caminhos sejam muitos, somos uma comunidade no amor.

O despertar espiritual que lentamente está acontecendo no campo da contracultura se tornará mais disseminado conforme nos dispusermos a romper os tabus culturais hegemônicos que silenciam ou apagam nossa paixão pela prática espiritual. Por um bom tempo, muitos dos meus amigos e colegas de trabalho não faziam ideia de que eu me devotava a uma prática espiritual. Entre acadêmicos e pensadores progressistas, era muito mais legal, descolado e aceitável expressar sentimentos de ateísmo do que declarar uma devoção apaixonada pelo espírito divino. Também não queria que as pessoas pensassem que, ao falar de minhas crenças espirituais, estava tentando convertê-las ou impor essas crenças a elas de alguma maneira.

Comecei a falar mais abertamente sobre o papel da espiritualidade em minha vida quando testemunhei o desespero dos meus alunos, sua sensação de desesperança, seus medos de que a vida não tivesse significado, sua solidão e desamor profundos. Quando estudantes jovens, brilhantes e belos vinham ao meu escritório confessar seu desânimo, eu sentia que era irresponsabilidade apenas escutar e me compadecer de suas aflições sem ousar lhes mostrar como eu tinha confrontado questões semelhantes em minha vida. Frequentemente, eles me pediam que contasse como havia mantido a alegria de viver. Para dizer a verdade, eu tinha que estar disposta a falar abertamente sobre a vida espiritual. E eu tinha que encontrar uma maneira de falar das minhas escolhas sem pressupor que elas seriam as escolhas certas ou boas para outra pessoa.

Minha crença de que Deus é amor — de que o amor é tudo, nosso verdadeiro destino — me sustenta. Afirmo essas crenças por meio de meditação e orações diárias, por meio da contemplação e do ato de servir, por meio da adoração e da bondade amorosa. Na introdução de *Lovingkindness: The Revolutionary Art of Happiness* [Bondade amorosa: a arte revolucionária da alegria], Sharon Salzberg ensina que Buda descreveu a prática espiritual como "a libertação do coração que é amor". Ela nos convoca a lembrar que a prática espiritual nos ajuda a superar o sentimento de isolamento, que ela "revela o coração radiante, cheio de alegria dentro de cada um de nós e manifesta essa luminosidade para o mundo". Todos precisam estar em contato com as necessidades de seu espírito. Essa conexão nos chama para o despertar espiritual — para o amor. No livro bíblico de João, uma passagem nos lembra que "todo aquele que não conhece o amor ainda está na morte".

Todo despertar para o amor é um despertar espiritual.

06.
valores:
viver segundo uma ética amorosa

Devemos viver para o dia e trabalhar pelo dia em que a sociedade humana se realinhará com o amor radical de Deus. Em um paradigma verdadeiramente democrático, não há amor pelo poder como fim em si.

— Marianne Williamson

Despertar para o amor só pode acontecer se nos desapegarmos da obsessão pelo poder e pela dominação. Culturalmente, todas as esferas da vida estadunidense — política, religião, locais de trabalho, ambientes domésticos, relações íntimas — deveriam e poderiam ter como base uma ética amorosa. Os valores que sustentam uma cultura e sua ética moldam e influenciam a forma como falamos e agimos. Uma ética amorosa pressupõe que todos têm o direito de ser livres, de viver bem e plenamente. Para trazer a ética amorosa para todas as dimensões de nossa vida, nossa sociedade precisaria abraçar a mudança. No final de *A arte de amar*, Erich Fromm afirma que "importantes e radicais mudanças em nossa estrutura social são necessárias, para que o amor se torne um fenômeno social, e não um fenômeno altamente individualista e marginal". Indivíduos que escolhem amar podem alterar e alteram a própria vida para honrar a primazia da ética amorosa. Nós fazemos isso ao escolher trabalhar com indivíduos que admiramos e respeitamos; ao nos comprometermos a nos entregar inteiramente em nossos relacionamentos; ao abraçar uma visão global em que vemos nossa vida e nosso destino como intimamente ligados aos de todas as outras pessoas do planeta.

O compromisso com uma ética amorosa transforma nossa vida ao nos oferecer um conjunto diferente de valores pelos quais viver. Em grande e em pequena escalas, fazemos escolhas baseadas na crença de que a honestidade, a franqueza e a integridade pessoal precisam ser expressas nas decisões públicas e privadas. Decidi me mudar para uma cidade pequena para que pudesse viver na mesma região que minha família, embora culturalmente não fosse um lugar tão desejável quanto aquele onde eu morava antes. Amigos meus vivem com seus pais idosos, cuidando deles, embora tenham dinheiro para morar em outro lugar. Quando vivemos de acordo com uma ética amorosa, aprendemos a valorizar mais a lealdade e o compromisso com laços duradouros do que o crescimento material. Embora ter uma carreira e ganhar dinheiro continue sendo importante, isso nunca vem antes da valorização e do cuidado com a vida e o bem-estar humanos.

Não conheço ninguém que tenha adotado uma ética amorosa e não tenha se tornado uma pessoa mais alegre e mais realizada. A suposição comum de que o comportamento ético acaba com a diversão na vida é falsa. Na realidade, viver eticamente garante que os relacionamentos em nossa vida, incluindo encontros com estranhos, alimentem o nosso crescimento espiritual. Comportar-se de maneira antiética, sem pensar nas consequências de nossas ações, é como comer toneladas de alimentos ultraprocessados. Embora o sabor possa ser bom, no fim, o corpo nunca está adequadamente nutrido e permanece num estado constante de falta e anseio. Nossa alma sente essa falta quando agimos de maneira antiética, nos comportando de formas que rebaixam o nosso espírito e desumanizam os outros.

•••

Relatos presentes em textos *new age* evidenciam como abraçar uma ética amorosa transforma a vida para melhor. Contudo, muitas dessas informações só alcançam aqueles entre nós que dispõem de privilégios de classe. E, frequentemente, indivíduos cuja vida é próspera em bem-estar material e espiritual, que têm diversos amigos por todos os caminhos da vida para nutrir sua integridade pessoal, dizem ao restante do mundo que essas coisas são impossíveis de se conseguir. Estou falando aqui de muitos profetas do apocalipse que nos dizem que o racismo nunca vai acabar, que o machismo está aqui para ficar, que os ricos nunca compartilharão os seus recursos. Nós todos ficaríamos surpresos se pudéssemos entrar na vida deles por um dia. Muito do que eles nos dizem que não pode ser obtido, eles têm. No entanto, ao manter uma noção capitalista de bem-estar, eles realmente acreditam que não há o suficiente para todos, que uma boa vida só está ao alcance de poucos.

Recentemente, falando para um público universitário, expressei minha fé no poder de as pessoas brancas falarem contra o racismo, desafiando e pondo fim ao preconceito

— declarando de forma enfática que eu definitivamente acredito que todos nós podemos transformar nossa mente e ações. Ressaltei que essa fé não está enraizada num desejo utópico, que eu acredito nisso porque na história de nossa nação muitos indivíduos ofereceram sua vida a serviço da justiça e da liberdade. Questionada por pessoas que diziam que esses indivíduos eram exceção, concordei. Mas então falei da necessidade de transformarmos o nosso pensamento para nos vermos como seres que mudam, ao invés de estarmos entre os que se recusam a fazê-lo. O que tornou esses indivíduos excepcionais não foi eles serem mais inteligentes ou mais bondosos que seus vizinhos, mas sua vontade de viver a verdade de seus valores.

Aqui vai outro exemplo. Se você sair de porta em porta pelo país e conversar com os cidadãos a respeito da violência doméstica, quase todo mundo vai insistir que não apoia a violência contra a mulher, a qual acredita ser moral e eticamente errada. Contudo, quando você explica que só acabaremos com a violência contra a mulher ao desafiar o patriarcado, e que isso significa não aceitar mais a ideia de que homens deveriam ter mais direitos e privilégios que as mulheres por causa de diferenças biológicas, ou de que homens deveriam ter poder para dominar as mulheres, as pessoas então param de concordar. Existe uma distância entre os valores que dizem defender e sua disposição de fazer o trabalho necessário para conectar pensamento e ação, teoria e prática, para concretizar esses valores e assim criar uma sociedade mais justa.

Infelizmente, muitos cidadãos dos Estados Unidos têm orgulho de viver em um dos países mais democráticos do mundo enquanto temem agir em favor de pessoas que vivem sob governos repressores e fascistas. Eles têm medo de agir de acordo com o que acreditam porque isso significaria desafiar o *status quo* conservador. A recusa de tomar atitude em relação ao que se acredita enfraquece a moralidade e a ética individuais, assim como as de toda a cultura. Assim, embora sejamos uma nação formada por pessoas que, em sua maioria, independentemente de raça, classe e gênero, se dizem religiosas e crentes no poder divino do amor, não surpreende que, coletivamente, continuemos incapazes de adotar uma ética amorosa e permitir que ela guie o nosso comportamento, especialmente quando isso significa apoiar mudanças radicais.

O medo de mudanças radicais leva muitos cidadãos de nosso país a trair sua mente e seu coração. Entretanto, todos somos submetidos a mudanças radicais todos os dias. Nós as encaramos quando nos movemos a despeito do medo. Essas transformações geralmente são impostas pelo status quo. Por exemplo, novas tecnologias revolucionárias levaram todos nós a aceitar os computadores. Nossa disposição em abraçar esse "desconhecido" mostra que todos somos capazes de confrontar o medo das mudanças radicais, que somos capazes de lidar com ele. Obviamente, não interessa ao status quo conservador nos encorajar a confrontar nosso medo coletivo do amor. A adoção geral de uma ética amorosa significaria que todos nós nos oporíamos a muitas das políticas públicas que os conservadores aceitam e apoiam.

O medo coletivo que a sociedade tem do amor deve ser encarado se pretendemos reivindicar uma ética amorosa que possa nos inspirar e nos dar a coragem para fazer as mudanças necessárias. Ao escrever sobre as transformações que precisam ser feitas, Fromm explica:

A sociedade deve ser organizada de modo tal que a natureza social e amorosa do homem não se separe de sua existência social, mas se unifique com ela. Se é verdade, como venho tentando mostrar, que o amor é a única resposta sadia e satisfatória ao problema da existência humana, então qualquer sociedade que exclua relativamente o desenvolvimento do amor deve, no fim das contas, perecer vitimada por sua própria contradição com as necessidades básicas da natureza humana. Na verdade, falar de amor não é "pregar", pela simples razão de que significa falar da última e real necessidade de todo ser humano. [...] Ter fé na possibilidade do amor como fenômeno social, e não apenas excepcional-individual, é uma fé racional baseada no conhecimento da própria natureza do homem.

A fé permite que superemos o medo. Nós podemos recuperar coletivamente a nossa fé no poder transformador do amor cultivando a coragem, a força para agir em favor daquilo em que acreditamos, para sermos responsáveis em palavras e ações.

Gosto especialmente da passagem bíblica da primeira epístola de João que nos diz: "Não há temor no amor; ao contrário, o perfeito amor lança fora o temor, porque o temor implica um castigo, e o que teme não chegou à perfeição do amor". Desde a infância, essa passagem das escrituras me encanta. Eu era fascinada pela repetição das palavras "perfeito"/"perfeição". Por algum tempo, pensei na palavra "perfeito" apenas no sentido de ausência de falhas ou defeitos. Ensinada a acreditar que essa compreensão do que significa ser perfeito sempre esteve fora do alcance humano, que nós éramos essencialmente humanos porque não éramos perfeitos, mas sempre estivemos ligados ao mistério do corpo, de nossas limitações, essa convocação para conhecer um amor perfeito sempre me perturbou. Parecia um chamado importante, mas impossível. Isto é, até eu procurar uma compreensão mais profunda, mais complexa da palavra "perfeito", e encontrar uma definição que enfatizava o desejo de "refinar".

Repentinamente, a passagem se iluminou. O amor como um processo que tem sido refinado, alquimicamente alterado conforme se move de um estado para outro, é o "amor perfeito" que pode espantar o medo. Contrariamente à noção de que é preciso trabalhar para alcançar a perfeição, não precisamos lutar por esse resultado — ele simplesmente acontece. Esse é o presente que o amor perfeito oferece. Para receber o presente, precisamos primeiro entender que "não há medo no amor". No entanto, temos medo e o medo nos impede de confiar no amor.

Culturas de dominação se apoiam no cultivo do medo como forma de garantir a obediência. Em nossa sociedade, falamos muito do amor e pouco do medo. Todavia, estamos terrivelmente apavorados o tempo todo. Como cultura, estamos obcecados com a ideia de segurança. Contudo, não questionamos por que vivemos em estados de extrema ansiedade e terror. O medo é a força primária que mantém as estruturas de dominação. Ele promove o desejo de separação, o desejo de não ser conhecido. Quando somos ensinados que a segurança está na semelhança, qualquer tipo de diferença parece uma ameaça. Quando escolhemos amar, escolhemos nos mover contra o medo — contra a alienação e a separação. A escolha por amar é uma escolha por conectar — por nos encontrarmos no outro.

Uma vez que muitos de nós estão aprisionados pelo medo, só podemos nos mover em direção a uma ética amorosa por meio de um processo de conversão. O filósofo Cornel West afirma que "uma política de conversão" restaura nossa sensação de esperança. Chamando a atenção para o niilismo disseminado em nossa sociedade, ele nos lembra:

> O niilismo não é superado por argumentos ou análises, é domado pelo amor e pelo carinho. Qualquer doença da alma deve ser vencida com uma transformação na alma. Essa virada é feita por meio da afirmação do próprio valor — uma afirmação abastecida pela preocupação com os outros.

Em uma tentativa de afastar o desespero que ameaça a vida, mais e mais indivíduos estão se voltando para uma ética amorosa. Em nossa cultura, multiplicam-se os sinais de que essa conversão está acontecendo. É reconfortante quando um grande número de pessoas lê obras como *Care of the Soul: A Guide for Cultivating Depth and Sacredness in Everyday Life* [O cuidado com a alma: um guia para cultivar a profundidade e o sagrado na vida cotidiana], de Thomas Moore, um livro que nos convida a reavaliar os valores que sustentam nossa vida e a fazer escolhas que reforcem nossa interconexão com os outros.

Abraçar uma ética amorosa significa utilizar todas as dimensões do amor — "cuidado, compromisso, confiança, responsabilidade, respeito e conhecimento" — em nosso cotidiano. Só podemos fazer isso de modo bem-sucedido ao cultivar a consciência. Estar consciente permite que examinemos nossas ações criticamente para ver o que é necessário para que possamos dar carinho, ser responsáveis, demonstrar respeito e manifestar disposição de aprender. Entender o conhecimento como um elemento essencial do amor é vital, pois somos diariamente bombardeados com mensagens que nos dizem que o amor está relacionado ao mistério, ao que não podemos conhecer. Vemos filmes nos quais as pessoas são representadas amando alguém com quem nunca conversam, indo para a cama sem nunca discutir sobre seu corpo, suas necessidades sexuais, do que gostam e do que não gostam. De fato, a mensagem recebida da mídia é de que o conhecimento torna o amor menos interessante; que é a ignorância que dá ao amor seu caráter erótico e transgressor. Essas mensagens geralmente são trazidas até nós por produtores em busca de lucro, que não fazem a menor ideia de como é a arte de amar, que apresentam suas visões mistificadas porque não sabem de fato como representar genuinamente uma interação amorosa.

Se exigíssemos coletivamente que a mídia retratasse imagens que reflitam a realidade amorosa, isso aconteceria. Essa mudança alteraria nossa cultura radicalmente. Os meios de comunicação de massa insistem numa ética de dominação e violência, perpetuando-a, porque nossos criadores audiovisuais têm mais intimidade com essas realidades do que com as realidades do amor. Todos sabemos como a violência é. Todos os projetos de pesquisa no campo dos estudos culturais dedicados à análise crítica da mídia, sejam favoráveis ou contrários, indicam que imagens de violência, especialmente as que envolvem ação e sanguinolência, capturam a atenção dos espectadores mais do que imagens calmas e pacíficas. Os pequenos grupos de pessoas que produzem a maioria das imagens que vemos em nossa cultura não têm demonstrado até agora interesse em aprender como representar imagens de amor de formas que capturem e mexam com nossa imaginação cultural, prendendo a nossa atenção.

Se eles fizessem seu trabalho informados por uma ética amorosa, considerariam importante pensar criticamente a respeito das imagens que criam. E isso significaria pensar sobre o impacto dessas imagens, sobre as formas como moldam a cultura e influenciam as maneiras como pensamos e agimos em nosso dia a dia. Se desconhecem o terreno amoroso, deveriam contratar consultores que lhes oferecessem os *insights* necessários. Ainda que alguns pesquisadores tentem nos dizer que não há conexão direta entre as imagens de violência e a violência que nos atinge em nossa vida, resta a constatação produzida pelo bom senso: todos somos afetados pelas imagens que consumimos e pelo estado de espírito em que estamos quando as assistimos. Se os espectadores querem ser entretidos, e as imagens que nos são mostradas como entretenimento são imagens de desumanização violenta, faz sentido que esses atos se tornem mais aceitáveis em nossa rotina e que nos tornemos menos propensos a reagir a eles com indignação moral ou preocupação. Se estivéssemos vendo mais imagens de interação humana amorosa, isso sem dúvida teria um impacto positivo em nossa vida.

Não podemos falar em mudar os tipos de imagens que nos são oferecidas pela mídia sem reconhecer que a vasta maioria delas é criada a partir de uma perspectiva patriarcal. Essas imagens não mudarão até que o pensamento e a perspectiva patriarcais mudem. Homens e mulheres que não se veem individualmente como vítimas do poder patriarcal têm dificuldade para levar a sério a necessidade de questionar e alterar o pensamento patriarcal. No entanto, a reeducação é sempre possível. Inúmeras pessoas são afetadas negativamente pelas instituições patriarcais e, mais especificamente, pela dominação masculina. Uma vez que a maioria das imagens que vemos é produzida por indivíduos comprometidos com o avanço do patriarcado, eles investem em nos oferecer imagens que refletem os seus valores e as instituições sociais que desejam apoiar. O patriarcado, como qualquer sistema de dominação (como o racismo, por exemplo), precisa socializar todo mundo para acreditar que em todas as relações humanas há um lado superior e um inferior, que uma pessoa é forte e a outra, fraca, e, consequentemente, é natural que o poderoso domine o que não tem poder. Para aqueles que apoiam o poder patriarcal, é aceitável manter o poder e o controle por qualquer meio. Naturalmente, alguém socializado para pensar dessa forma se interessaria e se estimularia mais por cenas de dominação e violência do que por cenas de amor e carinho. Contudo, eles precisam ter uma audiência para quem vender seus produtos. É aí que reside nosso poder de exigir mudanças.

Ainda que o movimento feminista contemporâneo tenha feito muito para intervir nesse tipo de pensamento, para questioná-lo e alterá-lo de modo a oferecer a mulheres e homens a oportunidade de levarem uma vida mais satisfatória, o pensamento patriarcal ainda é a norma dos que estão no poder. Isso não significa que não tenhamos o direito de exigir mudanças. Nós temos poder enquanto consumidores. Podemos exercer esse poder o tempo todo escolhendo não investir tempo, energia ou recursos para apoiar a produção e a disseminação de imagens na mídia que não reflitam valores que melhorem a vida, que debilitem a ética do amor. Não se trata de um argumento a favor da censura. A maioria dos males em nosso mundo não foi criada pela mídia. É claro que a mídia não inventou a violência doméstica, por exemplo.

A violência nos lares era difundida mesmo quando não havia televisão. Entretanto, todo mundo sabe que todas as formas de violência são glamourizadas e construídas pela mídia para parecerem interessantes e sedutoras. Os produtores dessas imagens poderiam facilmente usar a comunicação de massa para questionar e intervir na violência. Quando as imagens que vemos justificam a brutalidade, levando ou não algum de nós a ser "mais" violento, elas reforçam a ideia de que este é um meio aceitável de controle social, de que está tudo bem se um indivíduo ou um grupo dominar outros.

A dominação não pode existir em qualquer situação social em que prevaleça uma ética amorosa. É importante lembrar a percepção de Jung, de que, se o desejo de poder predomina, o amor estará ausente. Quando o amor está presente, o desejo de dominar e exercer poder não pode ser a ordem do dia. Todos os grandes movimentos sociais por liberdade e justiça em nossa sociedade têm promovido uma ética amorosa. A preocupação em relação ao bem coletivo de nosso país, de nossa cidade ou vizinhança, baseada em valores amorosos, faz com que todos busquemos nutrir e proteger esse bem. Se todas as políticas públicas fossem criadas no espírito do amor, não teríamos que nos preocupar com o desemprego, as pessoas em situação de rua, o fracasso de escolas em ensinar às crianças ou os vícios.

Se uma ética amorosa influenciasse todas as políticas públicas nas metrópoles e nas cidades, os indivíduos convergiriam e planejariam programas voltados ao bem de todos. O maravilhoso livro de Melody Chavis, *Altars in the Street: A Neighborhood Fights to Survive* [Altares nas ruas: um bairro que luta para sobreviver], conta a história de pessoas reais que se unem apesar das diferenças de raça e classe para melhorar o ambiente onde vivem. Ela fala da perspectiva de uma mulher branca que se muda com sua família para um bairro predominantemente negro. Como alguém que adota uma ética amorosa, Melody se une aos seus vizinhos para criar paz e amor em seu ambiente. O trabalho dessas pessoas dá certo, mas é minado pela falta de apoio das políticas públicas e da prefeitura. Simultaneamente, ela também trabalha para ajudar prisioneiros no corredor da morte. Amando sua comunidade em toda a sua diversidade, Melody afirma: "Às vezes acho que venho tentando, no corredor da morte e no meu bairro, obter algum controle em relação à violência em minha vida. Quando criança, eu era completamente indefesa em face da violência". Seu livro mostra as mudanças que uma ética amorosa pode trazer mesmo nas comunidades mais problemáticas. Ele também registra as consequências trágicas para a vida humana quando o terror e a violência se tornam a norma aceita.

Quando pequenas comunidades organizam sua vida em torno de uma lógica amorosa, todos os aspectos do dia a dia podem ser proveitosos para todo mundo. Em sua obra em prosa, o poeta Wendell Berry, do Kentucky, escreve eloquentemente sobre os valores positivos que existem em comunidades rurais que abraçam uma ética comunal e o compartilhamento de recursos. Em *Another Turn of the Crank* [Mais um giro da manivela], Berry expõe como os interesses dos grandes negócios levam ao esfacelamento de comunidades rurais, nos lembrando que a destruição está rapidamente se tornando a norma em todos os tipos de comunidade. Ele nos encoraja a aprender com a vida de pessoas que vivem em comunidades governadas por um espírito de amor e comunhão.

Compartilhando alguns dos valores preservados pelos cidadãos dessas comunidades, ele afirma:

> Eles são pessoas que têm e mantêm uma visão generosa e sociável de autopreservação; não acreditam que podem sobreviver e florescer conforme a regra de que o homem é o lobo do homem; não acreditam que podem ter sucesso derrotando ou destruindo ou vendendo ou esgotando tudo a não ser a si mesmos. Eles duvidam que boas soluções possam ser produzidas pela violência. Querem preservar o que há de precioso na natureza da cultura humana e transmitem isso para seus filhos [...]. Eles veem que nenhuma comunidade de afinidade pode ser definida pela ganância [...]. Eles sabem que o trabalho deve ser necessário; deve ser bom; deve ser satisfatório e dignificar as pessoas que o realizam; e verdadeiramente útil e prazeroso para o povo em favor de quem ele é feito.

Gosto de morar em cidades pequenas precisamente porque, em sua maioria, elas costumam ser os lugares onde os princípios básicos que sustentam uma ética amorosa existem e são os padrões segundo os quais grande parte das pessoas tenta viver sua vida. Na cidade pequena onde vivo (atualmente, apenas parte do tempo), existe um espírito de vizinhança — de companheirismo, cuidado e respeito. Esses mesmos valores existiam nos bairros da cidade onde cresci. Embora eu passe a maior parte do tempo em Nova York, vivo num prédio que funciona como uma cooperativa, onde todos se conhecem. Nós nos protegemos e alimentamos o nosso bem-estar. Nós nos esforçamos para fazer de nossa casa um ambiente positivo para todos. Todos concordamos que a integridade e o cuidado melhoram a vida de todos nós. Tentamos viver pelos princípios de uma ética amorosa.

Para vivermos nossa vida com base em princípios de uma ética amorosa (demonstrando cuidado, respeito, conhecimento, integridade e vontade de cooperar), temos de ser corajosos. Aprender como encarar nossos medos é uma das formas de abraçar o amor. Talvez nosso medo não vá embora, mas já não ficará no caminho. Aqueles de nós que já escolheram adotar uma ética amorosa, permitindo que ela governe e oriente o modo como pensamos e agimos, sabemos que, ao deixar nossa luz brilhar, atraímos e somos atraídos por outras pessoas que também mantêm sua chama acesa. Não estamos sozinhos.

07.
ganância:
simplesmente ame

> *O desaparecimento da ganância e do ódio são o fundamento da libertação. A libertação é "o indubitável desprendimento do coração" — um entendimento tão poderoso da verdade que não há como voltar atrás.*
>
> — Sharon Salzberg

Embora vivamos em contato com o próximo, em nossa sociedade inúmeras pessoas se sentem alienadas, excluídas, sozinhas. Isolamento e solidão são causas centrais da depressão e do desespero. São, também, o resultado da vida numa cultura em que as coisas recebem mais importância que as pessoas. O materialismo cria um mundo de narcisismo, no qual o foco da vida é apenas comprar e consumir. Em uma cultura narcísica, o amor não pode desabrochar. A emergência da cultura do "eu" é consequência direta da incapacidade de nosso país de pôr em prática, de fato, a visão de democracia enunciada em nossa Constituição e na Declaração de Direitos. Abandonados na cultura do "eu", consumimos e consumimos, sem pensar nos outros. A ganância e a exploração se tornam a norma quando uma ética de dominação prevalece. Elas trazem consigo alienação e falta de amor. Uma intensa ausência emocional e espiritual em nossa vida é o terreno perfeito para o cultivo da avareza material e do consumo desenfreado. Em um mundo sem amor, o desejo de conexão pode ser substituído pelo desejo de possuir. Ao passo que as necessidades emocionais são difíceis — frequentemente, impossíveis — de satisfazer, os desejos materiais são mais fáceis de atender. Nossa nação caiu na armadilha do narcisismo patológico, na esteira de guerras que traziam recompensas econômicas enquanto enfraqueciam a visão de liberdade e justiça que é essencial para sustentar a democracia.

Atualmente, vivemos num mundo em que adolescentes pobres estão dispostos a ferir e matar por um par de tênis ou uma jaqueta de marca, mas isso não é consequência da pobreza. Em situações extremas de miséria em outras épocas da história de nosso país, seria impensável para os pobres assassinarem alguém por um objeto de luxo. Embora fosse comum roubar ou atacar alguém com o objetivo de conseguir recursos — dinheiro, comida ou algo tão simples quanto um casaco de inverno para se proteger do frio —, não havia um sistema de valores estabelecido que tornasse uma vida menos importante que o desejo material por um objeto supérfluo.

Em meados dos anos 1950, a maioria dos cidadãos dos Estados Unidos, ricos ou pobres, sentia que se tratava do melhor lugar para se viver porque era uma democracia, um lugar onde os direitos humanos importavam. Essa forma de ver o país sustentava seus cidadãos e servia como catalisador, fortalecendo lutas pela libertação em nossa sociedade. No artigo "Chicken Little, Cassandra and the Real Wolf: So Many Ways to Think About the Future" [Chicken Little, Cassandra e o verdadeiro lobo: muitas formas de pensar o futuro], Donella Meadows descreve a importância de um ponto de vista visionário:

> Uma visão articula um futuro que alguém deseja intensamente, e faz isso com tanta clareza e de forma tão convincente que evoca a energia, a concordância, a simpatia, a vontade política, a criatividade, os recursos ou o que mais for necessário para transformar essa visão em realidade.

A participação ativa dos Estado Unidos em guerras globais pôs em questão seu compromisso com a democracia, tanto aqui quanto em países estrangeiros.

Essa visão perdeu força na esteira da Guerra do Vietnã. Antes da guerra, uma visão esperançosa do amor e da justiça havia sido evocada com a luta pelos direitos civis, o movimento feminista e a libertação sexual. Entretanto, no final dos anos 1970, depois do fracasso dos movimentos radicais por justiça social que buscavam transformar o mundo num lugar democrático, pacífico, onde os recursos pudessem ser compartilhados e uma vida significativa se tornasse uma possibilidade para todos, as pessoas pararam de falar de amor. A perda de vidas no país e no estrangeiro havia criado abundância econômica, mas deixado em seu rastro devastação e ausência. Pediu-se aos estadunidenses que sacrificassem sua visão de liberdade, amor e justiça, pondo em seu lugar a adoração do materialismo e do dinheiro. Essa visão de sociedade sustentou a necessidade de guerras imperialistas e injustiça. Um grande sentimento de desespero se abateu sobre nosso país quando os líderes que haviam conduzido lutas por paz, justiça e amor foram assassinados.

Psicologicamente, estávamos em desespero mesmo enquanto o crescimento econômico criava empregos para mulheres e homens de grupos antes marginalizados. Em vez de buscar justiça na esfera pública, os indivíduos se voltaram para a vida privada, procurando um lugar de consolo e escape. Inicialmente, muitas pessoas se voltaram para suas famílias e relacionamentos para reencontrar um senso de conexão e estabilidade. Encarar um desamor desenfreado em casa criou uma sensação incontrolável de quebra cultural. Os indivíduos não apenas se desesperavam em relação à sua capacidade de mudar o mundo, mas começavam a sentir um desespero imenso quanto à sua capacidade de fazer mudanças positivas básicas no tecido emocional de sua vida diária. A taxa de divórcios era o principal indicador de que o casamento não era mais um abrigo seguro. E o crescente conhecimento público de que a violência doméstica e todas as formas de abuso infantil eram disseminadas revelava claramente que a família patriarcal não era capaz de oferecer refúgio.

Confrontadas com um universo emocional com o qual era aparentemente impossível lidar, algumas pessoas adotaram uma nova ética protestante do trabalho, convencidas de que o sucesso da vida seria mensurado pela quantidade de dinheiro que se ganhava e pelos bens que se podia comprar com esse dinheiro. A boa vida não era mais encontrada na comunidade e na conexão, mas na acumulação e na satisfação do desejo hedonista e materialista. Seguindo essa mudança de valores, de uma sociedade orientada para as pessoas para uma sociedade orientada para as coisas, os ricos e os famosos, especialmente as estrelas de cinema e os músicos, começaram a ser vistos como os únicos ícones culturais relevantes. Os líderes políticos e ativistas visionários estavam mortos. De repente, não era mais importante incorporar uma dimensão ética à vida do trabalho; fazer dinheiro era o objetivo, não importa o meio. A prevalência da corrupção minou qualquer chance de que uma ética amorosa ressurgisse e restaurasse a esperança.

No final dos anos 1970, entre as pessoas privilegiadas, a adoração do dinheiro se expressava na aceitação da corrupção e na transformação da ostentação do luxo material em regra. Para muitas pessoas, a aceitação da corrupção como a nova ordem do dia em nosso país começou com a exposição inédita da desonestidade presidencial e da falta de comportamento ético e moral na Casa Branca. Essa ausência de ética foi minimizada pelos representantes do governo, usando a segurança nacional e o domínio global como justificativas para o apoio de grandes empresas à expansão do imperialismo. Isso coincidiu nitidamente com o declínio da influência da religião institucionalizada, que até então havia fornecido orientações morais. A igreja e os templos se tornaram lugares onde uma ética materialista era respaldada e racionalizada.

Entre os pobres e outras subclasses, a adoração do dinheiro se tornou mais evidente com o crescimento inédito do comércio de drogas, um dos raros lugares onde o capitalismo funcionava bem para uns poucos indivíduos. O dinheiro rápido, geralmente obtido em grandes quantidades com o tráfico de drogas, permitiu que o pobre satisfizesse os mesmos desejos materiais que o rico. Ainda que os objetos desejados variassem, a satisfação em adquirir e consumir era a mesma. A ganância era a ordem do dia. Espelhando-se na cultura capitalista dominante, uns poucos indivíduos em comunidades pobres prosperaram enquanto a vasta maioria sofria com intermináveis necessidades insatisfeitas. Imagine uma mãe vivendo na pobreza, que sempre ensinou aos filhos a diferença entre certo e errado, que lhes ensinou a valorizar a honestidade porque queria lhes dar um universo moral e ético, e que de repente aceita que um filho venda drogas porque isso traz para casa recursos financeiros para despesas essenciais e supérfluas. Seus valores éticos são erodidos pela intensidade do desejo e da escassez. No entanto, ela não se vê mais na contramão da cultura de consumo em que vive; ela se conectou com a cultura de consumo, passando a ser orientada por suas demandas.

O amor não é algo em que ela pense. Sua vida tem sido caracterizada por falta de amor. Ela descobriu que a vida se torna mais fácil quando ela endurece o coração e volta sua atenção a objetivos mais alcançáveis — conseguir abrigo e comida, fazer o dinheiro durar até o fim do mês e encontrar maneiras de satisfazer os desejos por pequenos luxos materiais. Pensar no amor pode simplesmente lhe causar dor. Ela e inúmeras mulheres como ela já sofreram o bastante. Ela pode até se voltar para o vício para experimentar o prazer e a satisfação que nunca encontrou quando buscava o amor.

A disseminação do vício tanto em comunidades pobres como nas ricas está ligada ao nosso desejo psicótico pelo consumo material. Ele nos mantém incapazes de amar. A fixação em desejos e necessidades, estimulada pelo consumismo, promove um estado psicológico de interminável anseio. Isso leva a uma angústia de espírito e a um tormento tão intensos que as substâncias entorpecentes oferecem libertação e alívio, embora tragam em sua esteira o problema do vício. Milhões de cidadãos dos Estados Unidos são viciados em álcool e drogas lícitas e ilegais. Nas comunidades pobres, onde o vício é a regra, não há uma cultura de reabilitação. Os pobres que são viciados e que não dispõem de meios para manter o vício são capturados por sofrimentos físicos e psicológicos imensos. Viciados querem se livrar da dor; eles não estão pensando no amor.

Uma leitura útil, *Love and Addiction* [Amor e vício], de Stanton Peele, apresenta um ponto de vista perspicaz ao afirmar que o "vício não tem a ver com a capacidade de se relacionar". O vício torna o amor impossível. A maioria dos adictos está mais preocupada em conseguir e usar a sua droga, seja ela álcool, cocaína, heroína, sexo ou compras. Portanto, o vício é ao mesmo tempo causa e consequência do desamor amplamente difundido. Somente a droga é sagrada para o viciado. Relações de intimidade e proximidade são destruídas conforme o adicto se envolve em uma busca gananciosa por satisfação. A ganância caracteriza a natureza dessa busca, porque ela é infinita; o desejo é contínuo e nunca pode ser totalmente satisfeito.

É claro que a devastação do vício é mais inegavelmente óbvia na vida dos pobres e necessitados porque eles não têm meios para ocultar efetivamente o problema, como os viciados privilegiados, nem acesso a programas de reabilitação. Quando o julgamento de O. J. Simpson ocupava o noticiário nacional, havia pouco debate sobre o papel desempenhado pelo abuso de drogas ao facilitar o distanciamento emocional numa família já disfuncional. Ao passo que se destacava a violência doméstica, e todos concordam que não se tratou de um comportamento aceitável, o abuso de substâncias não recebeu atenção. Não era visto como um fator importante, que havia destruído as condições necessárias para interações emocionais positivas.

Por exemplo, não era aceitável que alguém falasse com compaixão (de uma maneira que não culpasse a vítima) sobre a possibilidade de Nicole Simpson ter mantido a si e a seus filhos num ambiente perigoso, que punha sua vida em risco, em parte porque não estava disposta a sacrificar seu apego a um estilo de vida superficialmente glamouroso entre os ricos e famosos. Nos bastidores, quando não têm medo de serem vistas como politicamente incorretas, mulheres que se relacionam com homens abusivos ricos e poderosos falam com desenvoltura sobre seu vício por poder e riqueza. Homens e mulheres permanecem em relacionamentos disfuncionais, sem amor, quando isso é oportuno do ponto de vista material.

Por todo o país, a ganância motiva os indivíduos a se colocarem em situações que arriscam sua vida. Nossas prisões estão cheias de pessoas que cometeram crimes motivados pela ganância, geralmente pelo desejo por dinheiro. Ao passo que esse desejo é a resposta natural de qualquer um que tenha abraçado totalmente os valores do consumismo, quando esses indivíduos agridem os outros em sua busca pela riqueza, somos encorajados a ver seu comportamento como anormal. Somos todos encorajados a acreditar que eles não são como nós, mas estudos mostram que muitas pessoas estão dispostas a mentir para obter vantagens financeiras. A maioria das pessoas é tentada por desejos de consumir infinitamente ou de tentar adquirir bens de luxo de qualquer maneira. Nos últimos anos, o apoio público aos jogos de azar, em loterias e cassinos, aumentou a consciência de que o desejo por dinheiro pode ser viciante. Porém, nunca aparece no noticiário nacional o fato de que grandes quantidades de trabalhadores e pessoas de classe média apostam salários obtidos com trabalho duro na esperança de ficarem ricos. Muitos desses laboriosos cidadãos mentem e traem outros integrantes da família para sustentar seu vício. Mesmo que não sejam detidos ou presos, seu comportamento disfuncional mina a confiança e o cuidado em suas famílias. Eles têm mais em comum com prisioneiros que arriscam tudo na esperança de fazer dinheiro fácil do que com seus familiares que desejam que as conexões amorosas sejam mais importantes do que o anseio por sucesso material.

Em *As sete leis do dinheiro*, Michael Phillips chama a atenção para o fato de que a maioria dos prisioneiros que conheceu, presos por roubar tentando "ficar ricos rapidamente", eram indivíduos inteligentes, criativos, que poderiam ter alcançado o conforto material trabalhando. Ganhar dinheiro com trabalho diário teria levado tempo. Não por acaso, a combinação de desejo pela riqueza material e desejo por satisfação imediata é um sinal de que o materialismo se tornou viciante. A necessidade de gratificação instantânea é um componente da ganância.

Essa mesma política da ganância está em jogo quando as pessoas buscam o amor. Com frequência, elas querem satisfação imediata. O amor verdadeiro raramente é um espaço emocional em que as necessidades são recompensadas instantaneamente. Para conhecer o amor verdadeiro, temos que investir tempo e compromisso. Como John Welwood nos lembra em *Journey of the Heart: The Path of Conscious Love* [A jornada do coração: o caminho do amor consciente], "sonhar que o amor nos salvará, que resolverá todos os nossos problemas ou que nos dará um estado de felicidade estável ou de segurança apenas nos mantém estagnados num devaneio fantasioso, enfraquecendo o verdadeiro poder do amor — que é nos transformar". Muitas pessoas querem que o amor funcione como uma droga, dando-lhes um êxtase imediato e prolongado. Elas não querem fazer nada, apenas receber passivamente uma sensação boa. Na cultura patriarcal, os homens são especialmente inclinados a ver o amor como algo que deveriam receber sem esforço. Frequentemente, eles não querem fazer o trabalho que o amor demanda. Quando a prática do amor nos convida a entrar num espaço de felicidade potencial, que é ao mesmo tempo um espaço de despertar crítico e dor, muitos de nós viramos as costas para o amor.

Toda a ênfase em relacionamentos disfuncionais difundida em nossa sociedade poderia facilmente levar à suposição de que somos uma nação comprometida em acabar com essa disfunção, em criar uma cultura onde o amor possa florescer. A verdade é que somos um país que normaliza a disfunção. Quanto mais se põe atenção em laços disfuncionais, mais a mensagem de que famílias são todas um pouco ferradas se torna o senso comum, mais popular se torna a ideia de que famílias são assim mesmo. Assim como no consumo hedonista, somos encorajados a acreditar que os excessos da família são normais, e que anormal é acreditar que alguém possa ter uma família funcional, amorosa.

Esse é o resultado de se viver numa cultura em que a política da ganância é normalizada. A mensagem que recebemos é de que todo mundo quer ter mais dinheiro para comprar mais coisas, de modo que não é problemático se mentirmos e enganarmos um pouco para passar na frente. Em contraste com o amor, os desejos por objetos materiais podem ser satisfeitos instantaneamente se tivermos dinheiro ou cartão de crédito à mão, ou mesmo se estivermos dispostos a assinar alguns papéis para conseguir o que queremos agora e pagar mais caro depois. Ao mesmo tempo, quando se trata das questões do coração, somos encorajados a tratar os parceiros com dureza, como se fossem objetos que podemos pegar, usar e então descartar à vontade, tomando como único critério a satisfação de nossos desejos individuais.

Quando o consumo ganancioso é a ordem do dia, a desumanização se torna aceitável. Assim, tratar as pessoas como objetos não é um comportamento apenas plausível, mas necessário. É a cultura da troca, a tirania dos valores do mercado. Esses valores orientam as atitudes em relação ao amor. O cinismo em relação ao amor leva jovens adultos a acreditar que não há amor a ser encontrado e que os relacionamentos são necessários apenas na medida em que satisfazem desejos. Quantas vezes ouvimos alguém dizer: "Bem, se essa pessoa não está satisfazendo as suas necessidades, você deveria se livrar dela"? Relacionamentos são tratados como copos descartáveis. São todos iguais. São dispensáveis. Se um não funciona, deixe para lá, jogue fora, arrume outro. Quando essa é a lógica predominante, laços de compromisso (incluindo casamentos) não podem durar. E amizades ou comunidades amorosas não podem ser valorizadas e mantidas.

A maioria de nós não sabe ao certo o que fazer para proteger e fortalecer os laços carinhosos quando nossas necessidades autocentradas não são atendidas. A maioria das pessoas gostaria de poder encontrar o amor onde está, na vida e na relação que escolheu, mas sente que não conta com estratégias úteis para sustentar esses laços. Elas então se voltam para a mídia à procura de respostas. Cada vez mais, a grande mídia é o principal veículo para a promoção e o reforço da ganância;

oferece-se pouca informação sobre o estabelecimento e a manutenção de relacionamentos significativos. Caso o desejo de acumular já não esteja presente no espectador de televisão ou cinema, ele será implantado por imagens que bombardeiam a psique com a mensagem de que consumir com os outros, e não se conectar, deveria ser o nosso objetivo. Hoje em dia, vamos ao cinema e primeiro temos que assistir aos comerciais. O estado de entrega relaxado e receptivo que gostamos de reservar para o prazer de entrar no espaço estético de um filme numa sala escura agora é entregue à publicidade, onde nossos sentidos e sensibilidades são assaltados contra a nossa vontade.

A avareza é acertadamente considerada um "pecado capital" porque desgasta os valores morais que nos encorajam a nos importar com o bem comum. A ganância viola o espírito de conexão e comunidade que é natural para a sobrevivência humana. Ela destrói o reconhecimento individual das necessidades e preocupações de todos, substituindo essa consciência por um egocentrismo perigoso. O narcisismo saudável (a autoaceitação e a percepção do próprio valor, pedras fundamentais do amor-próprio) foi substituído por um narcisismo patológico (em que apenas o "eu" importa), que justifica qualquer ação que permita a satisfação de desejos. O desejo de se sacrificar em favor dos outros, sempre presente onde há amor, é aniquilado pela ganância. Sem dúvidas isso explica a disposição dos Estados Unidos de privar os cidadãos pobres de serviços sociais bancados pelo governo enquanto enormes somas de dinheiro abastecem a crescente cultura do imperialismo violento. Os profetas que lucram com a ganância nunca estão satisfeitos; para este país, não é o bastante ser consumido por uma política gananciosa: ela precisa se tornar o modo de vida natural em escala global.

A generosidade e a caridade militam contra a proliferação da avareza, seja na forma de uma gentileza para um vizinho, criando-se um sistema progressivo de distribuição de trabalho, seja apoiando programas de bem-estar social financiados pelo Estado. Quando a política da ganância se torna uma norma cultural, todos os atos de caridade são vistos equivocadamente como suspeitos e são representados como demonstrações de fraqueza. Como consequência, os cidadãos de nosso país se tornam menos caridosos a cada dia, defendendo com arrogância políticas que os beneficiam individualmente, que protegem os interesses dos ricos, alegando que os pobres e necessitados não trabalharam duro o suficiente. Eu fiquei chocada ao ouvir sujeitos que herdaram fortunas na infância se posicionarem contra o compartilhamento de recursos, afirmando que pessoas necessitadas deveriam trabalhar pelo dinheiro para que apreciem o seu valor. Fortunas e/ou recursos materiais substanciais herdados raramente são abordados pela mídia, porque aqueles que os recebem não desejam validar a ideia de que dinheiro recebido sem ser resultado de trabalho duro é algo benéfico. A forma como aceitam e usam esse dinheiro para fortalecer sua autossuficiência econômica expõe a realidade de que trabalhar duro raramente é o meio pelo qual muitos de nós têm acesso a recursos materiais que possibilitam a riqueza. Uma das ironias da cultura da ganância é que as pessoas que mais lucram com ganhos que lhes pertencem sem terem trabalhado para obtê-los são as mais enfáticas na insistência de que os pobres e a classe trabalhadora só podem valorizar os recursos materiais obtidos por meio do trabalho árduo. É claro que eles estão apenas estabelecendo um sistema de crenças que protege seus interesses de classe e reduz sua responsabilidade com aqueles que não têm privilégios.

Marianne Williamson, no livro *The Healing of America* [A cura dos Estados Unidos], aborda o cinismo disseminado em relação ao compartilhamento de recursos, que ameaça o bem--estar espiritual de nossa nação. Ela argumenta:

> Há tanta injustiça nos Estados Unidos e tal conspiração para que não se fale sobre isso; e tanto sofrimento e muita esquiva para que não a notemos. Dizem-nos que esses problemas são secundários ou que seria muito custoso consertá-los — como se o dinheiro fosse o mais importante. A ganância é considerada legítima agora, enquanto o amor fraternal não é.

Embora Williamson seja uma guru *new age*, sua disposição corajosa de falar sobre o inaceitável não reduziu sua popularidade: a maioria dos leitores apenas decidiu ignorar esse livro em particular. Sem negar que é privilegiada, ela admoesta a si própria e a nós por não compartilharmos a riqueza.

Todo mundo acha difícil resistir aos ditames da ganância. Desapegar-se de desejos materiais pode nos levar a adentrar o espaço onde nossos desejos emocionais estão expostos. Quando entrevistei a famosa rapper Lil' Kim, achei fascinante que ela não tivesse interesse pelo amor. Ainda que falasse articuladamente a respeito da falta de amor em sua vida, o assunto que mais recebia sua atenção era ganhar dinheiro. Saí da nossa conversa admirada com o fato de que uma jovem mulher negra, oriunda de um lar problemático, sem o ensino médio completo, pudesse lutar contra todas as espécies de empecilhos e acumular riquezas materiais, mas não ter esperanças de que conseguiria superar as barreiras que a impediam de saber como dar e receber amor.

A cultura da ganância valida e legitima a adoração que Lil' Kim tem pelo dinheiro; não está nem um pouco interessada em seu crescimento emocional. Quem liga se ela vai conhecer o amor? Infelizmente, como muitos estadunidenses, ela acredita que a busca e a obtenção de riqueza compensarão toda a ausência emocional. Como muitos cidadãos de nosso país, ela não presta muita atenção às mensagens da mídia que nos falam sobre o sofrimento emocional dos ricos. Se o dinheiro realmente compensasse a perda e o desamor, os ricos seriam as pessoas mais felizes do planeta. Em vez disso, faríamos bem ao lembrar outra vez da letra profética cantada pelos Beatles: "Money can't buy me love".[1]

Ironicamente, os ricos que se tornam mais gananciosos e superprotetores de suas riquezas estão cada vez mais tão eternamente estressados e insatisfeitos quanto os pobres gananciosos que sofrem de desejos intermináveis. Os ricos nunca estão satisfeitos; eles não conseguem se contentar. Porém, todo mundo quer ser como os ricos. Em *Freedom of Simplicity: Finding Harmony in a Complex World* [A liberdade da simplicidade: encontrando harmonia em um mundo complexo], Richard Foster observa:

> Pense na miséria que entra em nossa vida por causa de nossa incansável ganância corrosiva. Mergulhamos em dívidas imensas e então assumimos dois ou três empregos para nos mantermos

---

[1]. Em tradução livre: "O dinheiro não pode me comprar amor". [N.T.]

acima da linha d'água. Desenraizamos nossas famílias com mudanças desnecessárias para que possamos ter uma casa com mais prestígio. Acumulamos e acumulamos, e nunca temos o suficiente. E o mais destrutivo de tudo: nossos carros chamativos e eventos esportivos e piscinas nos quintais têm a capacidade de desviar grande parte dos nossos interesses dos direitos civis, da pobreza das cidades do interior ou das multidões passando fome na Índia. A ganância sempre dá um jeito de cortar os laços da compaixão.

Na verdade, ignoramos as massas famintas em *nossa* sociedade, as 38 milhões de pessoas pobres cujas vidas são a evidência do fracasso de nosso país em compartilhar recursos de forma caridosa e igualitária. A adoração do dinheiro leva a um endurecimento do coração. E isso pode levar qualquer um de nós a justificar, ativa ou passivamente, a exploração e a desumanização dos outros e de nós mesmos.

Bastante se tem dito sobre o fato de que muitos dos radicais dos anos 1960 se tornaram capitalistas selvagens, lucrando com o sistema que antes criticavam e queriam destruir. Mas ninguém assume a responsabilidade pela mudança de valores que fez a cultura da paz e do amor se voltar para uma política de lucro e poder. Essa mudança aconteceu porque o amor livre que florescia em enclaves utópicos de comunidades hippies, onde todos eram jovens e despreocupados, não se enraizou na vida diária de trabalhadores comuns e pessoas aposentadas. Jovens progressistas comprometidos com justiça social e que achavam fácil apoiar políticas radicais quando viviam no limite, à margem, não quiseram fazer o trabalho duro de mudar e reorganizar nosso sistema existente de maneiras que reforçassem os valores da paz e do amor, da democracia e da justiça. Eles caíram em desespero. E esse desespero fez com que se rendessem à ordem social existente, o único lugar de conforto.

Não demorou muito para essa geração descobrir que amava o conforto material mais do que a justiça. Uma coisa era passar alguns anos sem conforto lutando por justiça, por direitos civis para pessoas não brancas e mulheres de todas as raças, mas outra bem diferente era considerar uma vida inteira em que se pudesse passar necessidade material ou ser obrigado a compartilhar recursos. Quando muitos dos radicais e/ou hippies que se rebelaram contra o excesso de privilégio começaram a criar seus filhos, queriam que tivessem acesso aos mesmos privilégios materiais que tiveram — assim como o luxo de se rebelar contra eles; queriam que seus filhos estivessem seguros em termos materiais. Ao mesmo tempo, muitos dos radicais e/ou hippies que vinham de contextos marcados por necessidades materiais também estavam ansiosos para encontrar um mundo de abundância material que pudesse sustentá-los. Todos temiam que, se continuassem praticando uma visão de comunalismo, de compartilhamento de recursos, teriam de viver com menos.

Ultimamente, tenho me sentado em mesas de jantar com comidas e bebidas sofisticadas, desalentada enquanto ouço radicais reformados fazerem piada com o fato de que, anos atrás, nunca imaginariam que se tornariam "liberais nos costumes e conservadores na economia", pessoas que querem acabar com políticas de bem-estar social enquanto apoiam grandes empresas. Williamson observa com perspicácia:

A reação contra o bem-estar social nos Estados Unidos hoje não é realmente uma reação contra o abuso de serviços sociais; é um ataque contra a compaixão na esfera pública. Ao passo que os Estados Unidos estão cheios de pessoas que policiariam nossa moral privada, há pouquíssimo questionamento de nossa moral social. Estamos entre os países mais ricos da Terra, mas gastamos uma quantia ínfima com nossos pobres em comparação com o que todas as outras nações ocidentais industrializadas gastam. Um quinto das crianças dos Estados Unidos vive na pobreza. Metade das crianças afro-estadunidenses vive na pobreza. Nós somos a única nação ocidental industrializada que não tem sistema de saúde universal.

Essas são as verdades que ninguém quer encarar. Muitos cidadãos de nosso país temem adotar uma ética de compaixão porque isso ameaça a sua segurança. Sob o efeito de uma lavagem cerebral que os fez acreditar que só podem estar seguros se tiverem mais do que o próximo, eles acumulam e *continuam* a se sentir inseguros, porque sempre existe alguém que acumulou mais.

•••

Todos nós estamos observando o aumento da desigualdade entre ricos e pobres, entre os que têm e os que não têm. Quem possui privilégios de classe vive em bairros onde a riqueza e a abundância são expostas explicitamente e celebradas. Entretanto, o custo oculto dessa riqueza não é aparente. Nós não precisamos contemplar o sofrimento de tantos para que poucos possam viver num mundo de luxo excessivo. Uma vez, perguntei a um homem rico, que havia alcançado aquela posição não havia muito, de que ele mais gostava em sua nova situação. Ele disse que gostava de ver o que as pessoas eram capazes de fazer por dinheiro, como o dinheiro podia transformá-las e fazer com que violassem os seus valores. Ele personificava a cultura da ganância. Seu prazer em ser rico estava enraizado não apenas no desejo de ter mais que os outros, mas de usar esse poder para degradá-los e humilhá-los. Para manter e satisfazer a ganância, é preciso apoiar a dominação. E um mundo de dominação sempre é um mundo sem amor.

•••

Todos nós estamos vulneráveis. Todos somos tentados. Mesmos aqueles entre nós que estão comprometidos com uma ética amorosa às vezes são tentados por desejos gananciosos. São tempos perigosos. Não é apenas o corrupto que fica balançado pela ganância. Indivíduos com boas intenções e coração terno podem ser arrastados ao ter um acesso sem precedentes ao poder e ao privilégio. Quando nosso presidente explora seu poder e seduz uma jovem que trabalha para o governo, com o consentimento dela, ele expressa publicamente sua ganância.[8] Suas ações revelam disposição de arriscar tudo que ele considera de valor pela satisfação de um prazer hedonista. O fato de muitos cidadãos de nosso país terem considerado

8. Em 1998, veio a público a relação sexual que o presidente dos Estados Unidos, Bill Clinton, manteve com a estagiária da Casa Branca Monica Lewinsky durante 1995 e 1997. A revelação tornou-se um escândalo internacional que motivou um pedido de impeachment, do qual Clinton, que negava ter tido relações com Lewinsky, foi absolvido. [N.E.]

que esse mau uso do poder era apenas o jeito como as coisas são — e que ele apenas teve o azar de ser pego — é mais uma evidência de que a política da ganância é tolerada. Essa posição exemplifica a mentalidade gananciosa que ameaça consumir nossa capacidade de amar e, com ela, nossa capacidade de nos sacrificarmos por aqueles que amamos. Ao mesmo tempo, a jovem envolvida manipula fatos e detalhes e, em última instância, se prostitui ao vender sua história por ganhos materiais, porque ela cobiça a fama e o dinheiro, e a sociedade tolera esse esquema fique-rica-rápido. Sua ganância é ainda mais intensa, porque ela também quer ser vista como vítima. Com a ousadia de qualquer vigarista trabalhando com o vício capitalista pela fantasia, ela tenta reescrever o roteiro de sua relação consensual de prazer para que pareça uma história de amor. Sua esperança era que todos fossem seduzidos pela fantasia e ignorassem o fato de que mentira, traição e falta de cuidado com os sentimentos dos outros nunca podem ser um lugar onde o amor desabrocha. Isso não é uma história de amor. É uma dramatização pública da política da ganância em andamento, uma ganância tão intensa que destrói o amor.

A ganância subordina o amor e a compaixão; viver com simplicidade abre espaço para eles. Viver com simplicidade é a principal forma de resistir à ganância diariamente. Pessoas de todo o mundo estão cada vez mais cientes da importância de viver com simplicidade e compartilhar recursos. Embora globalmente o comunismo tenha sofrido uma derrota política, as políticas do comum continuam importantes. Todos nós podemos resistir à tentação da ganância. Podemos trabalhar para transformar políticas públicas. Podemos desligar a televisão. Podemos demonstrar respeito ao amor. Para salvar o nosso planeta, podemos parar com o desperdício inconsequente. Podemos reciclar e apoiar estratégias de sobrevivência ecologicamente avançadas. Podemos celebrar e honrar o comunalismo e a interdependência, compartilhando recursos. Todos esses gestos mostram respeito e gratidão pela vida. Quando valorizamos o adiamento da recompensa e assumimos responsabilidade por nossas ações, simplificamos nosso universo emocional. Viver com simplicidade faz com que amar seja simples. A escolha por viver com simplicidade necessariamente intensifica a nossa capacidade de amar. É como aprendemos a praticar a compaixão, afirmando todos os dias nossa conexão com uma comunidade mundial.

08.
comunidade:
uma comunhão
amorosa

Uma comunidade não pode florescer em uma vida dividida. Muito antes de uma comunidade assumir uma forma e uma aparência externas, ela deve estar presente como uma semente num self íntegro: apenas se estivermos em comunhão com nós mesmos poderemos encontrar a comunidade com os outros.

— Parker Palmer

Para garantir a sobrevivência humana em todos os lugares do mundo, mulheres e homens se organizam em comunidades. Comunidades alimentam a vida — não as famílias nucleares nem o "casal", e tampouco a dureza individualista. Não há lugar melhor para aprender a arte do amor que numa comunidade. M. Scott Peck começa o livro *The Different Drum: Community Making and Peace* [A batida diferente: a construção de comunidades e a paz] com uma declaração profunda: "Nas comunidades e através delas reside a salvação do mundo". Peck define comunidade como a reunião de um grupo de indivíduos que aprenderam como se comunicar honestamente uns com os outros, cujos relacionamentos são mais profundos que suas máscaras de compostura, e que desenvolveram o compromisso significativo de "alegrar-se juntos, lamentar juntos" e de "deleitar-se uns nos outros, transformar em suas as condições dos outros".

Todos nós nascemos num mundo de comunidade. Raramente, talvez nunca, uma criança vem ao mundo em isolamento, com apenas um ou dois cuidadores. Crianças vêm ao mundo cercadas pela possibilidade de comunidade. Família, médicos, enfermeiros, parteiras e mesmos admiradores estranhos compõem esse campo de conexões, umas mais íntimas que as outras.

Em nossa sociedade, boa parte das discussões sobre "valores familiares" destacam a família nuclear, constituída por mãe, pai e preferencialmente um ou dois filhos. Nos Estados Unidos, essa unidade é apresentada como a organização mais importante e desejável para a criação dos filhos, aquela que garantirá o bem-estar ideal de todos. Trata-se, é claro, de uma imagem fantasiosa de família. Dificilmente alguém em nossa sociedade vive num ambiente como esse. Mesmo indivíduos criados em famílias nucleares geralmente as experimentam simplesmente como uma pequena unidade no interior de uma unidade maior formada pela família estendida. Juntos, o capitalismo e o patriarcado, como estruturas de dominação, têm feito hora extra para destruir essa unidade mais ampla de parentesco. Substituir a comunidade da família por uma unidade autocrática menor e mais privada ajudou a aumentar a alienação e a possibilidade de abusos de poder. Isso deu controle absoluto ao pai e controle secundário, sobre as crianças, à mãe. Com o estímulo ao afastamento das famílias nucleares da família estendida, mulheres foram obrigadas a se tornar mais dependentes de um homem, e as crianças, mais dependentes de uma única mulher. É essa dependência que se tornou e continua sendo o solo fértil para os abusos de poder.

O fracasso da família nuclear patriarcal tem sido amplamente documentado. Frequentemente exposta como disfuncional, como um lugar de caos emocional, negligência e abuso, apenas aqueles em negação continuam a insistir que esse é o melhor ambiente para educar crianças. Embora eu não queira sugerir que as famílias estendidas não sejam também propensas a ser disfuncionais, em virtude de seu tamanho e da inclusão de parentes sem laços consanguíneos (isto é, indivíduos que passam a integrar a família pelo casamento), elas são diversas e, portanto, têm mais chances de incluir a presença de alguns indivíduos sãos e amorosos.

Quando comecei a falar publicamente sobre minha família disfuncional, minha mãe se enfureceu. Para ela, minhas realizações eram um sinal de que eu não poderia ter sofrido "tanto assim". No entanto, sei que sobrevivi e prosperei, apesar das dores da minha infância, precisamente porque havia indivíduos amorosos em nossa família estendida que me nutriram e me deram um senso de esperança e possibilidade. Eles mostraram que as interações da nossa família não constituíam a norma, que havia outros jeitos de pensar e de se comportar, diferentes dos padrões considerados aceitáveis em nossa casa. Essa história é comum. Sobreviver e triunfar diante de famílias disfuncionais por vezes depende da presença do que a psicanalista Alice Miller chama de "testemunhas iluminadas". Praticamente todo adulto que experimentou sofrimento desnecessário na infância tem uma história para contar de alguém cuja bondade, ternura e preocupação restauraram seu senso de esperança. Isso só pôde acontecer porque essas famílias existiam como parte de comunidades maiores.

A familiar nuclear patriarcal e privada é uma forma de organização social relativamente recente. A maioria dos cidadãos do mundo não tem e nunca terá os recursos materiais para viver em pequenas unidades separadas de comunidades familiares maiores. Estudos apontam que, nos Estados Unidos, fatores econômicos (o alto custo das moradias, o desemprego) estão rapidamente criando um clima cultural em que filhos crescidos saem de casa mais tarde e muitas vezes regressam, ou nunca saem. Pesquisas de antropólogos e sociólogos indicam que pequenas unidades privadas, especialmente aquelas organizadas em torno do pensamento patriarcal, são ambientes pouco saudáveis para todos. Mundialmente, a criação de filhos esclarecida, saudável, é mais bem realizada no contexto das redes da comunidade e da família estendida.

A família estendida é um bom lugar para aprender o poder da comunidade. Contudo, ela só pode se tornar uma comunidade se houver comunicação honesta entre seus indivíduos. Famílias estendidas disfuncionais, assim como as unidades menores das famílias nucleares, costumam ser caracterizadas por terem uma comunicação turva. Manter segredos familiares geralmente impossibilita que grupos estendidos construam uma comunidade. Havia uma propaganda com o seguinte *slogan*: "Família que ora unida permanece unida". Uma vez que a oração é uma forma de comunicação, isso sem dúvidas ajuda seus membros a permanecerem vinculados. Eu me lembro de ouvir esse *slogan* quando criança, geralmente em situações nas quais figuras de autoridade nos forçavam a orar, e de modificá-lo para: "Família que conversa unida permanece unida". Conversar é uma forma de criar comunidade.

•••

Se não experimentamos o amor em nossas famílias estendidas de origem (o primeiro âmbito de comunidade que nos é oferecido), o outro âmbito onde as crianças, em particular, têm oportunidade de construir uma comunidade e conhecer o amor é no da amizade. Uma vez que escolhemos nossos amigos, muitos de nós, da infância à vida adulta, temos nos voltado para eles em busca de carinho, respeito, conhecimento e do empenho geral para promover o nosso crescimento que não encontramos na família. Em seu comovente livro de memórias, *Never Let Me Down* [Nunca me decepcione], Susan Miller recorda:

> Eu ficava pensando: o amor deve estar aqui, em algum lugar. Eu olhava e olhava dentro de mim, mas não conseguia encontrá-lo. Eu sabia o que o amor era. Era o sentimento que eu tinha pelas minhas bonecas, por coisas bonitas, por certos amigos. Anos depois, quando conheci Debbie, minha melhor amiga, tive ainda mais certeza de que o amor era o que fazia você se sentir bem. O amor não era o que fazia você se sentir mal, se odiar. Era o que confortava, o que libertava por dentro, o que fazia sorrir. Às vezes, Debbie e eu brigávamos, mas era diferente, porque estávamos basicamente, essencialmente, conectadas.

Amizades amorosas nos dão espaço para experimentarmos a alegria da comunidade num relacionamento em que aprendemos a processar todos os nossos problemas, a lidar com diferenças e conflitos enquanto nos mantemos vinculados.

A maioria de nós é educada para acreditar que encontraremos o amor em nossa primeira família (nossa família de origem) ou, se não lá, na segunda família, que se espera que formemos comprometendo-nos em relacionamentos amorosos, particularmente aqueles que levam ao casamento e/ou a vínculos que durem a vida inteira. Muitos de nós aprendem ainda na infância que amizades nunca deveriam ser vistas como tão importantes quanto laços familiares. Entretanto, a amizade é o espaço em que a maioria de nós tem seu primeiro vislumbre de amor redentor e comunidade carinhosa. Aprender a amar em amizades nos fortalece de formas que nos permitem levar esse amor para outras interações com a família ou com laços românticos. Uma amiga querida perdeu a mãe no início da vida adulta. Uma vez, enquanto eu reclamava da minha mãe discutindo comigo, ela contou que daria qualquer coisa para ouvir a voz da mãe chamando sua atenção. Encorajando-me a ser paciente, falou da dor de perder a mãe e de como desejava que elas tivessem se esforçado mais para encontrar um lugar de comunicação e reconciliação. Suas palavras me lembravam de ter compaixão, de me concentrar no que eu realmente gosto em minha mãe. Nas amizades, podemos ouvir comentários honestos e críticos. Nós confiamos que um amigo verdadeiro deseja o nosso bem. Minha amiga quer que eu aproveite a presença da minha mãe.

É comum não darmos o devido valor às amizades, mesmo quando elas são interações nas quais experimentamos prazer mútuo. Nós as colocamos numa posição secundária, especialmente em relação a laços românticos. Essa desvalorização das amizades cria um vazio que podemos não ver quando devotamos toda a nossa atenção a encontrar alguém para amar romanticamente, ou quando damos toda a nossa atenção para alguém que escolhemos amar. Há muito mais chances de relacionamentos românticos se tornarem codependentes quando cortamos todos os nossos laços com amigos para dar atenção exclusiva a essas relações que consideramos primárias. Eu já me senti especialmente devastada quando amigos íntimos até então solteiros se apaixonaram e simultaneamente se afastaram de nossa amizade. Quando uma de minhas melhores amigas escolheu um companheiro que não se deu tão bem comigo, isso me magoou. Eles não só começaram a fazer tudo juntos, como ela ficou mais próxima dos amigos de quem ele gostava.

A força de nossa amizade foi revelada pela nossa disposição de confrontar abertamente a alteração em nossos laços e fazer as mudanças necessárias. Não nos vemos tanto quanto antes, e não telefonamos uma para a outra diariamente, mas os laços positivos que nos unem permanecem intactos. Quanto mais verdadeiros nossos amores românticos, menos nos sentimos compelidos a enfraquecer ou cortar laços com amigos para fortalecer os vínculos com nossos parceiros. A confiança é a pulsação do amor verdadeiro. E nós confiamos que a atenção que nossos parceiros dão aos amigos e vice-versa não tira nada de nós — não nos diminui. O que aprendemos com a experiência é que nossa capacidade de estabelecer conexões de amizade profundas fortalece todos os nossos laços íntimos.

Quando vemos o amor como o desejo de alimentar o próprio crescimento espiritual ou o de alguém, demonstrado por gestos de carinho, respeito, conhecimento e tomada de responsabilidade, a base de todo o amor em nossa vida é a mesma. Não há amor especial reservado exclusivamente para parceiros românticos. O amor verdadeiro é a base de nosso envolvimento com nós mesmos, com a família, com os amigos, com companheiros, com todos que escolhemos amar. Embora necessariamente nos comportemos de forma diferente dependendo da natureza da relação, ou tenhamos diferentes graus de compromisso, os valores que orientam nosso comportamento, quando baseados numa ética amorosa, são sempre os mesmos para cada interação. Em um dos relacionamentos românticos mais longos da minha vida, me comportei da maneira mais tradicional, colocando-o acima de todas as outras interações. Quando ele se tornou destrutivo, achei difícil ir embora. Eu me vi aceitando comportamentos (abuso físico e verbal) que não toleraria em uma amizade.

Fui criada de forma convencional para acreditar que esse relacionamento era "especial" e deveria ser reverenciado acima de todos os outros. A maioria dos homens e das mulheres nascidos nos anos 1950 ou antes era socializada para pensar que casamentos e/ou compromissos românticos de qualquer tipo deveriam ter prioridade sobre todos os outros relacionamentos. Se eu tivesse avaliado meu relacionamento de um ponto de vista que enfatizasse o crescimento em vez do dever e da obrigação, teria compreendido que o abuso enfraquece irreparavelmente os laços. É muito comum as mulheres acreditarem que é um sinal de compromisso, uma expressão de amor, suportar grosseria ou crueldade, perdoar e esquecer. Na realidade, quando amamos corretamente, sabemos que a resposta saudável e amorosa à crueldade e ao abuso é nos retirarmos do caminho dos danos. Ainda que em minha juventude eu fosse uma feminista comprometida, tudo o que eu sabia e no que acreditava politicamente a respeito da igualdade foi, por um tempo, obscurecido por uma educação familiar e religiosa que tinha me socializado para acreditar que tudo deve ser feito para salvar "o relacionamento".

Em retrospecto, vejo como a ignorância em relação à arte de amar pôs o relacionamento em risco desde o começo. Nos mais de catorze anos em que ficamos juntos, estivemos muito ocupados repetindo velhos padrões aprendidos na infância, agindo a partir de informações equivocadas sobre a natureza do amor, em vez de percebermos as mudanças que precisaríamos fazer em nós mesmos para sermos capazes de amar outra pessoa. Notadamente, como muitas outras mulheres e homens (independentemente de sua orientação sexual) que estão em relacionamentos nos quais são objetos de terrorismo íntimo, eu teria sido capaz de sair desse relacionamento antes ou de me recuperar em seu interior se eu tivesse trazido para essa relação o nível de respeito, cuidado, conhecimento e responsabilidade que eu trazia para minhas amizades. Mulheres que não tolerariam amizades em que fossem emocional e fisicamente abusadas permanecem em relacionamentos românticos em que essas violações acontecem com regularidade. Se trouxessem para esses vínculos os mesmos padrões que levam para suas amizades, não aceitariam a vitimização.

Naturalmente, quando saí desse relacionamento de longa duração, que tinha me tomado tanto tempo e energia, eu estava terrivelmente sozinha e solitária. Compreendi então que era mais gratificante viver a vida num círculo de amor, interagindo com as pessoas amadas com quem nos comprometemos. Muitos de nós aprendem essa lição da pior maneira, ao nos vermos sozinhos e sem conexões significativas com amigos. E são as experiências de viver o medo do abandono em relações românticas e de ser abandonado que nos mostraram que os princípios do amor são sempre os mesmos em qualquer vínculo significativo. Amar bem é a tarefa em todas as relações significativas, não apenas nos laços românticos. Conheço indivíduos que aceitam desonestidade em suas relações mais importantes, ou que são eles próprios desonestos, quando jamais aceitariam isso vindo de seus amigos. Amizades satisfatórias nas quais compartilhamos amor mútuo nos oferecem um guia de comportamento para outras relações, incluindo as românticas. Elas dão a nós todos uma maneira de conhecer a comunidade.

Dentro de uma comunidade amorosa, sustentamos laços por meio da compaixão e do perdão. Em *Life is for Loving: Discover the Healing Power of Love* [A vida é para amar: descubra o poder curativo do amor], Eric Butterworth apresenta um capítulo sobre "o amor e o perdão". Com perspicácia, ele observa:

> Não conseguimos persistir sem amor e não há outra maneira de regressar à um amor curativo, reconfortante e harmonioso que não seja por meio de um perdão total e completo: se queremos liberdade e paz e a experiência de amar e ser amado, devemos deixar as coisas para trás e perdoar.

O perdão é um ato de generosidade. Ele exige que coloquemos a libertação de outra pessoa da prisão de sua própria culpa ou angústia acima de nossos sentimentos de ofensa ou raiva. Ao perdoarmos, abrimos caminho para o amor. É um gesto de respeito. O verdadeiro perdão exige que compreendamos as ações negativas dos outros.

Embora o perdão seja essencial para o crescimento espiritual, ele não faz com que tudo fique bem ou maravilhoso imediatamente. Com frequência, livros *new age* sobre o amor fazem parecer que tudo será sempre maravilhoso, basta que estejamos amando. De modo realista, ser parte de uma comunidade amorosa não significa que não vamos encarar conflitos, traições, ações positivas com resultados negativos ou coisas ruins acontecendo com pessoas boas. O amor nos permite enfrentar essas realidades negativas de uma forma que afirma e eleva a vida. Quando uma colega cujo trabalho eu admirava, alguém que eu considerava amiga, por razões que nunca ficaram claras para mim, começou a escrever críticas maldosas atacando os meus livros, fiquei chocada. Suas críticas eram cheias de mentiras e exageros. Eu tinha sido uma amiga cuidadosa. As atitudes dela me magoaram. Para curar essa dor, comecei uma identificação empática com ela, para poder entender quais seriam suas motivações. Em *Forgiveness: A Bold Choice for a Peaceful Heart* [Perdão: uma escolha ousada para um coração em paz], Robin Casarjian explica:

> O perdão é um modo de vida que gradualmente nos transforma do estado de vítimas indefesas de nossas circunstâncias em seres poderosos e amorosos "cocriadores" de nossa realidade. [...] É o esmorecimento dessas percepções que nublam a nossa capacidade de amar.

Por meio da prática da compaixão e do perdão, fui capaz de preservar minha admiração pelo trabalho dela e lidar com o luto e a decepção que sentia em relação à perda desse relacionamento. Praticar a compaixão me permitiu compreender por que ela agiu daquela maneira e perdoá-la. Perdoar significa que eu ainda sou capaz de vê-la como membro da minha comunidade, alguém que tem um lugar no meu coração, se quiser retomá-lo.

Todos nós ansiamos por uma comunidade amorosa. Ela eleva a alegria da vida. No entanto, muitos de nós buscam a comunidade apenas para escapar do medo da solidão. Saber como estar sozinho é central para a arte de amar. Quando somos capazes de ficar sozinhos, podemos estar com os outros sem usá-los como válvula de escape. Ao longo de sua vida, o teólogo Henri Nouwen enfatizou o valor do recolhimento. Em muitos de seus livros e ensaios, ele nos desencorajava a ver o recolhimento como uma necessidade de privacidade, compartilhando a percepção de que, ao estarmos sós, encontramos o lugar onde podemos olhar para nós verdadeiramente e abandonar o falso *self*. Em seu livro *Reaching Out* [Alcançar], ele destaca que a "solidão é uma das fontes mais universais do sofrimento humano hoje".

Nouwen aponta que "não há amigo ou amante, esposo ou esposa, comunidade ou comuna capaz de amainar nossos desejos mais profundos por unidade e integridade". Sabiamente, ele sugere que acalmemos esses sentimentos abraçando o estar só, permitindo que o espírito divino se revele ali:

> A estrada difícil é a estrada da conversão, a conversão da solidão em recolhimento. Em vez de fugirmos de nossa solidão e de tentar esquecê-la ou negá-la, temos que protegê-la e transformá-la num recolhimento proveitoso. [...] A solidão é dolorosa, o recolhimento é pacífico. A solidão faz com que nos apeguemos aos outros por desespero; o recolhimento nos permite respeitar os outros no que eles têm de singular e criar uma comunidade.

Quando as crianças são ensinadas a aproveitar o tempo de quietude, a estar sozinhas com seus pensamentos e devaneios, elas levam essa habilidade para a vida adulta. No esforço para superar o medo de ficarem sozinhos, jovens, adultos e idosos frequentemente adotam a prática da meditação como uma forma de abraçar o estar só. Aprender como se "sentar" quieto, parado, pode ser o primeiro passo para conhecer o conforto de estar sozinho.

O movimento que parte do estar só para a comunidade aumenta a nossa capacidade de companheirismo. Por meio do companheirismo, aprendemos como servir uns aos outros. O serviço é outra dimensão do amor comunal. No fim de sua autobiografia, *A roda da vida*, Elisabeth Kübler-Ross enfatiza: "Posso garantir que as maiores recompensas da vida inteira virão do fato de vocês abrirem seus corações para os que estão precisando. As maiores bênçãos vêm sempre de ajudar os outros". Mulheres têm sido e são as grandes professoras do mundo acerca do significado do servir. Nós honramos publicamente a memória de mulheres excepcionais como Madre Teresa, que fizeram do servir a sua vocação, mas há outras, em toda parte, cujas identidades nunca serão reconhecidas publicamente, que servem com paciência, graça e amor. Todas nós podemos aprender com o exemplo dessas mulheres caridosas.

Anteriormente, mencionei minha impaciência em relação à minha mãe. Refletindo sobre a vida dela, fui surpreendida pelo quanto serviu aos outros. Ela me ensinou, e a todos os seus filhos, o valor e o significado de servir. Na infância, testemunhei seu cuidado e paciência com os doentes e os moribundos. Ela lhes dava abrigo e cuidava deles sem reclamar. Com suas ações, aprendi o valor de dar sem esperar retribuição. Lembrar desses atos é importante. É muito fácil para todos nós esquecer dos serviços que mulheres oferecem aos outros todos os dias — os sacrifícios que as mulheres fazem. O pensamento machista com frequência obscurece o fato de que essas mulheres fazem a escolha de servir, que elas se doam a partir de um lugar de livre-arbítrio, não porque seja seu destino biológico. Há muitas pessoas que não estão interessadas em servir, que desprezam a caridade. Quando alguém pensa que uma mulher que serve "se doa porque é isso que as mulheres fazem", nega sua humanidade completa e, assim, falha em ver a generosidade inerente aos seus atos. Há muitas mulheres que não estão interessadas na caridade e que inclusive a desvalorizam.

A disposição para se sacrificar é uma dimensão necessária da prática do amor e da vida em comunidade. Nenhuma de nós pode ter tudo do jeito como queremos o tempo todo. Abrir mão de alguma coisa é uma maneira de sustentar um compromisso com o bem-estar coletivo. Nossa disposição de fazer sacrifícios reflete nossa consciência da interdependência. Ao escrever sobre a necessidade de diminuir o abismo entre ricos e pobres, Martin Luther King Jr. pregou: "Todos os homens [e mulheres] estão envolvidos em uma rede inescapável de mutualismo, unidos em uma mesma vestimenta do destino. O que afeta um indiretamente afeta todos os outros". Esse abismo é reduzido pelo compartilhamento de recursos. Todos os dias, indivíduos que não são ricos, mas que são privilegiados materialmente, fazem a escolha de compartilhar com os outros. Alguns de nós fazem isso por meio do dízimo consciente (doando regularmente uma parte de nossos ganhos); outros, por meio de uma prática diária de bondade amorosa, dando para os necessitados com quem nos encontramos ao acaso. Doar mutuamente fortalece a comunidade.

Apreciar os benefícios de viver e amar em comunidade nos empodera para lidar com estranhos sem ter medo, e lhes estender o dom da abertura e do reconhecimento. O simples ato de falar com um estranho, reconhecer sua presença no planeta, cria uma conexão. Todos os dias, todos nós temos oportunidade de praticar as lições que aprendemos em comunidade. Ser bondosos e gentis nos conecta uns aos outros. No livro *The Different Drum*, Peck nos lembra de que o verdadeiro objetivo da verdadeira comunidade é "buscar maneiras de viver com nós mesmos e com os outros em paz e com amor". Em contraste com outros movimentos por mudança social, que demandam se juntar a organizações e participar de reuniões, podemos começar o processo de criar comunidade onde quer que estejamos. Podemos começar com um sorriso, um cumprimento caloroso, um pouco de conversa, fazendo um ato de bondade ou reconhecendo a gentileza que nos é oferecida. Podemos trabalhar diariamente para tornar nossas famílias comunidades mais amplas. Meu irmão ficou satisfeito quando sugeri que ele pensasse em se mudar para a cidade onde moro, para que pudéssemos nos ver mais. Isso reforçou o seu sentimento de pertencimento. E fez com que eu me sentisse amada, pois ele queria estar no mesmo lugar que eu. Toda vez que ouço meus amigos falarem sobre o distanciamento em relação a seus familiares, eu os encorajo a buscar um caminho de cura, uma restauração dos laços. Num determinado momento, minha irmã, que é lésbica, sentiu que queria se afastar da família, porque os parentes eram homofóbicos com frequência. Ao mesmo tempo que concordei com a raiva e o desapontamento dela, e compartilhei desses sentimentos, também a estimulei a encontrar maneiras de se manter vinculada. Com o tempo, ela observou mudanças positivas importantes; viu o medo perder espaço para a compreensão, o que não teria acontecido se ela aceitasse o distanciamento como a única resposta para a dor da rejeição.

Sempre que curamos feridas familiares, fortalecemos a comunidade. Fazendo isso, nos engajamos em uma prática amorosa. É o amor que estabelece as bases para a construção de uma comunidade com estranhos. O amor que criamos em comunidade permanece conosco aonde quer que vamos. Orientados por esse conhecimento, fazemos de qualquer lugar um local em que podemos regressar ao amor.

09.
reciprocidade:
o coração do amor

Doar verdadeiramente é uma coisa feliz de se fazer. Experimentamos a felicidade quando concebemos a intenção de dar, no próprio gesto de doar e na recordação do fato de que doamos. Generosidade é uma celebração. Quando damos algo a alguém, nos sentimos conectados a essa pessoa, e nosso compromisso com o caminho da paz e da consciência se aprofunda.

— Sharon Salzberg

O amor nos permite adentrar o paraíso. Ainda assim, muitos de nós esperam do lado de fora, incapazes de cruzar o portal, incapazes de deixar para trás todas as coisas que acumulamos e que se interpõem entre nós e o caminho para o amor. Se, durante a maior parte de nossa vida, não fomos guiados no caminho do amor, geralmente não saberemos como começar a amar, o que deveríamos fazer e como deveríamos agir. Muito do desespero que os jovens sentem em relação ao amor vem de sua crença de que estão fazendo tudo "certo", e ainda assim o amor não está acontecendo. Seus esforços para amar e serem amados só produzem estresse, conflito e descontentamento sem fim.

Entre os meus vinte e poucos anos e o começo dos trinta, eu tinha confiança de que sabia tudo sobre o amor. No entanto, a cada vez que eu "me apaixonava", me via sofrendo. Os dois relacionamentos mais intensos da minha vida foram com homens cujos pais eram alcoólatras. Nenhum dos dois têm lembranças de interações positivas com o pai. Ambos foram criados por mães divorciadas, que trabalhavam e nunca se casaram novamente. Esses namorados tinham temperamento semelhante ao do meu pai: calados, muito trabalhadores e contidos emocionalmente. Lembro de quando levei o primeiro deles à minha casa. Minhas irmãs ficaram chocadas por ele ser, na percepção delas, "tão parecido com o papai", sendo que "você sempre odiou o papai". Na época, achei ridícula tanto a ideia de que eu odiava meu pai quanto a de que eu tinha escolhido, para compartilhar minha vida, um parceiro que se parecia com ele — de jeito algum.

Depois de quinze anos de relacionamento, não só percebi que ele se parecia muito com o meu pai, como também precisei encarar meu desejo desesperado de receber dele o amor que não recebi do meu pai. Eu queria que ele se tornasse tanto o pai amoroso quanto o companheiro afetivo, oferecendo-me, assim, um espaço de cura. Na minha fantasia, se ele apenas me amasse, se me desse todo o carinho que eu não havia recebido quando criança, isso repararia meu espírito ferido e eu seria capaz de confiar e amar novamente. Ele era incapaz de fazer isso. Ele nunca tinha sido educado no caminho do amor. Com ele tateando nas sombras do amor tanto quanto eu, cometemos sérios erros juntos. Ele queria que eu lhe desse o amor incondicional e a doação que sua mãe sempre lhe ofereceu sem esperar nada em troca. Constantemente frustrada por sua indiferença em relação às necessidades dos outros e por sua convicção presunçosa de que a vida deveria ser desse jeito, tentei fazer o trabalho emocional por nós dois.

É desnecessário dizer que não consegui o amor que desejava. O que consegui foi permanecer num lugar já conhecido, um lugar de luta familiar. Nós nos envolvemos numa guerra de gênero privada. Nessa batalha, eu lutava para destruir o modelo Marte e Vênus, para que pudéssemos romper com ideias preconcebidas de papéis de gênero e sermos honestos com nossos desejos profundos. Ele continuou apegado ao paradigma da diferença sexual baseado na presunção de que homens são intrinsecamente diferentes das mulheres, com necessidades e desejos diferentes. Na mente dele, meu problema era a recusa em aceitar esses papéis "naturais". Como muito homens progressistas na era do feminismo, ele acreditava que as mulheres deveriam ter acesso igualitário a empregos e receber salários iguais aos dos homens, mas, quando se tratava das questões domésticas e do coração, ele ainda acreditava que o cuidado era papel da mulher. Como muito homens, ele queria uma mulher que fosse "como a mamãe", para que ele não tivesse de fazer o trabalho de amadurecer.

Ele era o tipo de homem descrito pelo psicólogo Dan Kiley em seu pioneiro livro *Síndrome de Peter Pan*. Publicado originalmente no início dos anos 1980, o livro, conforme indicado na capa, abordava um sério fenômeno social e psicológico que assolava os estadunidenses do sexo masculino — sua recusa em se tornarem homens:

> Embora eles tenham atingido a idade adulta, esses homens são incapazes de encarar os sentimentos e as responsabilidades

adultas; distantes de suas verdadeiras emoções, com medo de dependerem até mesmo das pessoas que lhes são mais próximas, autocentrados e narcisistas, eles se escondem atrás de máscaras, repletos de sentimentos vazios e de solidão.

Essa nova geração de homens estadunidenses experimentou a revolução cultural feminista. Muitos deles foram criados em lares nos quais os homens não estavam presentes. Eles ficaram mais que felizes quando as pensadoras feministas lhes disseram que não precisavam ser machões. Entretanto, a única alternativa para não se tornar um macho convencional era não se tornar homem de jeito algum, permanecendo um menino.

Ao escolherem continuar meninos, não precisavam sofrer a dor de romper os laços apertados demais com mães que os sufocaram com cuidados incondicionais. Podiam simplesmente encontrar mulheres para cuidar deles do mesmo jeito que suas mães faziam. Quando as mulheres fracassavam em ser como a mamãe, eles faziam birra. Inicialmente, como uma jovem militante feminista, eu estava animada por ter encontrado um homem que não pretendia ser patriarca. E mesmo a tarefa de arrastá-lo aos gritos e pontapés em direção à vida adulta parecia valer a pena. Afinal, eu acreditava que teria um parceiro em igualdade, amor entre semelhantes. Contudo, o preço que paguei por querer que ele se tornasse adulto foi ele abandonar suas brincadeiras de menino e se tornar o machão com quem eu nunca quis estar. Eu era o alvo de suas agressões, culpada por persuadi-lo a deixar sua infância para trás, culpada por seus temores de não estar à altura da tarefa de ser homem. Quando nosso relacionamento acabou, havia desabrochado em mim uma mulher feminista plena e autorrealizada, mas quase tinha perdido minha fé no poder transformador do amor. Meu coração estava partido. Saí do relacionamento com medo de que nossa cultura ainda não estivesse pronta para afirmar o amor mútuo entre mulheres livres e homens livres.

•••

Em meu segundo relacionamento, com um homem bem mais jovem, disputas de poder similares emergiram conforme ele se debatia com a questão de se tornar totalmente adulto numa sociedade em que a masculinidade é sempre associada à dominância. Ele não era dominante. No entanto, tinha de confrontar um mundo que só via o nosso relacionamento em termos de poder, de quem manda. Ao passo que algumas pessoas enxergavam o silêncio de meu companheiro mais velho como intimidador e ameaçador — um sinal de seu "poder" —, o silêncio de meu companheiro mais jovem era frequentemente interpretado como consequência da minha dominância. Inicialmente, eu me senti atraída por esse companheiro mais novo porque a "masculinidade" dele representava uma alternativa à norma patriarcal. No fim das contas, porém, ele não sentia essa masculinidade reconhecida no mundo mais amplo e começou a confiar mais em pensamentos convencionais sobre os papéis masculino e feminino, permitindo que a socialização machista moldasse suas ações. Observando sua luta, vi como os homens recebiam muito pouco apoio quando escolhiam não ser leais ao patriarcado. Embora esses dois homens progressistas estivessem separados por mais de duas gerações, nenhum dos dois pensava muito a respeito da questão do amor. Embora apoiassem a igualdade de gênero na esfera pública, no privado, no seu íntimo, ainda viam o amor como coisa de mulher. Para eles, relacionamento tinha a ver com encontrar alguém que cuidasse de todas as suas necessidades.

No universo de gênero Marte-e-Vênus, homens querem poder e mulheres querem apego emocional e conexão. Ninguém deste planeta realmente tem oportunidade de conhecer o amor, uma vez que é o poder, não o amor, que está na ordem do dia. O privilégio do poder está no coração do pensamento patriarcal. Meninas e meninos, mulheres e homens que foram ensinados a pensar assim quase sempre acreditam que o amor não é importante, ou ao menos não tão importante quanto ser poderoso, dominante, estar no controle, por cima — estar certo. Mulheres que aparentemente dedicam adoração altruísta e cuidado aos homens em sua vida parecem estar obcecadas com o "amor", mas, na realidade, suas ações frequentemente encobrem manobras para obter poder. Como seus companheiros do sexo masculino, elas entram em relacionamentos falando palavras de amor, mesmo que suas atitudes indiquem que manter o poder e o controle é seu objetivo principal. Isso não significa que cuidado e afeição não estejam presentes; eles estão. É precisamente por isso que é tão difícil para as mulheres, e para alguns homens, deixar relacionamentos nos quais a dinâmica central é a luta pelo poder. O fato de que essa dinâmica de poder sadomasoquista pode coexistir — e frequentemente coexiste — com afeição, cuidado, ternura e lealdade torna mais fácil que indivíduos movidos por poder neguem seus objetivos, até para si mesmos. Suas ações positivas dão esperança de que o amor prevalecerá.

Infelizmente, o amor não prevalecerá em qualquer situação em que uma das partes, seja feminina ou masculina, queira manter o controle. Meus relacionamentos eram agridoces.

Todos os ingredientes para o amor estavam presentes, mas meus companheiros não estavam comprometidos em fazer do amor uma prioridade. Para alguém que não conheceu o amor, é difícil confiar que a satisfação e o crescimento mútuos possam ser o fundamento mais importante de uma relação a dois. É possível que esse alguém só compreenda e acredite em dinâmicas de poder, nas quais um precisa estar em cima e o outro, embaixo, em uma luta sadomasoquista por dominação; ironicamente, ele talvez se sinta "mais seguro" quando opera dentro desses paradigmas. Íntima da traição, essa pessoa pode ter fobia à confiança. Pelo menos quando se apega a dinâmicas de poder, você nunca precisa temer o desconhecido; você conhece as regras do jogo. Seja lá o que aconteça, o resultado é previsível. Já a prática do amor não oferece um lugar de segurança. Nós nos arriscamos a perder, a nos magoarmos, a sentir dor. Nós nos arriscamos a ser afetados por forças além do nosso controle.

Quando indivíduos são feridos no espaço onde conheceriam o amor durante a infância, essa ferida pode ser tão traumática que qualquer tentativa de voltar a habitar aquele espaço parece extremamente insegura e, às vezes, até mesmo uma ameaça à vida. Esse é o caso especialmente para os homens. As mulheres, independentemente dos nossos traumas de infância, recebemos apoio cultural para cultivar um interesse pelo amor. Embora uma lógica machista sustente esse apoio, isso ainda significa que mulheres são muito mais propensas a receber suporte tanto para pensar no amor quanto para valorizar o seu significado. Nosso anseio pelo amor pode ser expresso e afirmado. Entretanto, isso não significa que as mulheres sejam mais capazes de amar do que os homens.

Mulheres são encorajadas pelo pensamento patriarcal a acreditar que deveríamos ser amorosas, mas isso não significa que sejamos mais equipadas emocionalmente do que nossos semelhantes do sexo masculino para fazer o trabalho amoroso. Com medo do amor, muitas de nós nos concentramos em encontrar um parceiro. O grande sucesso de livros como *The Rules: Time-Tested Secrets for Capturing the Heart of Mister Right* [As regras: segredos testados através dos tempos para capturar o coração do homem certo], que estimulam mulheres a enganar e manipular para conseguir parceiros, expressam o cinismo dos nossos tempos. Esses livros validam as ideias machistas e antiquadas em torno da diferença sexual e estimulam as mulheres a acreditarem que nenhum relacionamento entre um homem e uma mulher pode ser baseado em respeito mútuo, franqueza e carinho. A mensagem que transmitem às mulheres é de que relacionamentos são sempre e apenas associados ao poder, à manipulação e à coerção, que têm a ver com conseguir que alguém faça o que você quer, mesmo contra a vontade da pessoa. Eles ensinam mulheres a usar ardis femininos para jogar o jogo do poder, mas não oferecem orientações sobre como amar e ser amada.

Muitos livros populares de autoajuda normalizam o machismo. Em vez de associar modos de ser, geralmente considerados inatos, a comportamentos aprendidos que ajudam a sustentar a dominação masculina, agem como se essas diferenças não estivessem carregadas de valores ou não fossem políticas, e sim intrínsecas e místicas. Nesses livros, a incapacidade e/ou recusa masculina de expressar sentimentos de forma honesta é tratada com frequência como uma virtude masculina que as mulheres deveriam aprender a aceitar, em vez de um hábito aprendido que cria isolamento emocional e alienação. John Gray se refere a isso como "homens entrando na caverna", e considera como dado que uma mulher que incomoda seu companheiro quando ele quer se isolar será punida. Gray acredita que é o comportamento feminino que precisa mudar. Livros de autoajuda que são contra a igualdade de gênero frequentemente apresentam o excesso de investimento feminino no cuidado como "natural", uma qualidade inerente em vez de uma forma aprendida de cuidado. Há todo um malabarismo para fazer parecer que as evocações místicas *new age* ao *yin* e *yang*, à androginia masculina e feminina, e por aí vai, não são os mesmos estereótipos machistas empacotados numa embalagem mais sedutora.

Para conhecer o amor, devemos abrir mão do nosso apego ao pensamento machista em todas as formas pelas quais ele se apresenta em nossa vida. Esse apego sempre nos fará voltar ao conflito de gênero, uma forma de pensar nos papéis sexuais que diminui mulheres *e* homens. Para praticar a arte do amor, primeiro temos que escolher o amor — admitir para nós mesmas que queremos conhecer o amor e amar, ainda que não saibamos o que isso significa. Os profundamente cínicos, que deixaram completamente de acreditar no poder do amor, precisam ter fé e dar um passo em direção ao desconhecido. Em *O caminho para o amor: renovando o poder do espírito em sua vida*, Deepak Chopra nos convoca a lembrar de que tudo o que o amor se propõe a fazer é possível:

> A necessidade dolorosa criada pela falta de amor só pode ser preenchida aprendendo outra vez a amar e ser amado. Nós devemos descobrir por contra própria que o amor é uma força tão real quanto a gravidade, e que ser sustentado pelo amor todos os dias,

a cada hora, a cada minuto, não é fantasia — é desejado que este seja o nosso estado natural.

Ninguém diz à maioria dos homens que eles precisam ser diariamente sustentados pelo amor. O pensamento machista geralmente os impede de reconhecer seu anseio por amor ou a aceitação de uma mulher como alguém que possa guiá-los no caminho do amor.

Com bastante frequência, as mulheres são ensinadas desde a infância, seja pelos adultos responsáveis ou pela mídia, a como dar cuidados básicos que são parte da prática do amor. Nós recebemos orientações sobre como sermos empáticas, como cuidar e, o mais importante, como ouvir. Geralmente não somos socializadas nessas práticas para sermos amorosas ou compartilharmos esse conhecimento com os homens, mas para que sejamos maternais em relação às crianças. De fato, muitas mulheres adultas abandonam prontamente sua compreensão básica das formas de demonstrar carinho e respeito (ingredientes importantes do amor) para se ressocializar de modo que possam se unir a parceiros patriarcais (homens ou mulheres) que não sabem nada sobre o amor ou sobre os fundamentos básicos do cuidado. Uma mulher que nunca se submeteria a ser xingada e humilhada por uma criança pode tolerar esse comportamento de um homem. O respeito que uma mulher exige e mantém numa relação entre mãe e filho/a não é considerado importante em vínculos entre adultos caso exigir respeito de um homem interfira em seu desejo de conseguir e manter um companheiro.

Poucos cuidadores parentais ensinam as crianças a mentir. No entanto, mentir continuamente, seja enganando abertamente ou omitindo, muitas vezes é considerado um comportamento aceitável e perdoável para homens adultos. Escolher agir com honestidade é o primeiro passo no processo do amor. Não há um praticante do amor que engane. Uma vez feita a escolha de ser honesta, o próximo passo a ser dado pela pessoa no caminho do amor é a comunicação. Refletindo sobre a importância de ouvir, em *The Healing of America*, Marianne Williamson chama atenção para a insistência do filósofo Paul Tillich de que a primeira responsabilidade do amor é ouvir:

> Não podemos aprender a nos comunicar profundamente até que aprendamos a ouvir, não apenas uns aos outros, mas também a nós mesmos e a Deus. O silêncio devocional é uma ferramenta poderosa para a cura de um coração ou a cura de uma nação [...]. Dali, nos movemos ao próximo patamar da escada da cura: nossa capacidade de comunicar nossa verdade autêntica e de curar e sermos curadas por seu poder.

Escutar não significa simplesmente ouvir outras vozes quando elas falam conosco, mas aprender a ouvir a voz de nosso próprio coração, assim como nossa voz interior.

Entrar em contato com o desamor interior e deixar que essa ausência de amor expresse sua dor é uma forma de retomar a jornada em direção ao amor. Nos relacionamentos, sejam heterossexuais ou homossexuais, o parceiro que está sofrendo geralmente acha que seu companheiro não está disposto a "ouvir" a dor. É comum que mulheres me digam que se sentem emocionalmente derrotadas quando seus parceiros se recusam a ouvir ou falar. Quando mulheres se comunicam a partir de um lugar de dor, isso em geral é qualificado como "irritante".

Às vezes, mulheres escutam repetidamente que seus companheiros estão "de saco cheio de ouvir essa merda". Em ambos os casos, a autoestima se enfraquece. Nós, que fomos feridas na infância, muitas vezes fomos constrangidas e humilhadas quando expressamos dor. É emocionalmente devastador quando os companheiros que escolhemos não nos ouvem. Companheiros que são incapazes de reagir com compaixão quando nos escutam falar sobre nossa dor, possam eles compreendê-la ou não, quase sempre são incapazes de ouvir, porque a dor expressada serve de gatilho para seus próprios sentimentos de impotência e desamparo. Muitos homens nunca querem se sentir desamparados e vulneráveis. Às vezes, eles escolherão silenciar uma companheira com violência em vez de testemunhar vulnerabilidade emocional. Quando um casal consegue identificar essa dinâmica, pode trabalhar a questão do cuidado, de ouvir as dores um do outro engajando-se em conversas curtas em momentos adequados (isto é, não adianta tentar falar da sua dor para quem está exausto, irritado, preocupado até os ossos etc.). Definir um momento em que os dois indivíduos se reúnem para ter uma conversa com escuta compassiva melhora a comunicação e a conexão. Quando estamos comprometidos em fazer o trabalho do amor, nós escutamos até quando nos dói.

O popular tratado *A trilha menos percorrida*, de M. Scott Peck, destaca e reforça a importância do compromisso. Disciplina e devoção são necessárias para a prática do amor, ainda mais no início dos relacionamentos. De acordo com Peck:

> Seja ou não superficial, o compromisso é a base de qualquer relacionamento genuinamente amoroso. O compromisso profundo

não garante o sucesso da relação, mas ajuda mais a garanti-la do que qualquer outro fator. [...] Qualquer um que esteja realmente preocupado com o crescimento espiritual do outro sabe, consciente ou instintivamente, que só pode alimentar esse crescimento através de um relacionamento constante.

Viver numa cultura em que somos encorajados a procurar alívio rápido para qualquer dor ou desconforto criou uma nação de indivíduos facilmente devastados pela dor emocional, embora ela seja relativa. Quando encaramos a dor nos relacionamentos, nossa primeira reação geralmente é cortar os laços em vez de manter o compromisso.

Quando seguimos o caminho do amor e o conflito emerge dentro de nós, ou entre nós e outras pessoas, é desanimador, especialmente quando não conseguimos lidar com nossas dificuldades facilmente. No caso dos relacionamentos românticos, muitas pessoas temem ficar aprisionadas num vínculo que não está funcionando, então fogem no início do conflito. Ou, de modo autoindulgente, criam conflitos desnecessários como forma de evitar o compromisso. Elas fogem do amor antes de conhecer a sua graça. A dor pode ser o limiar que precisam cruzar para participar da felicidade do amor. Ao fugir da dor, elas nunca conhecem a totalidade do prazer de amar.

Falsas noções sobre o amor nos ensinam que ele é o lugar onde não sentiremos dor, onde estaremos constantemente em êxtase. Temos de expor a falsidade dessas crenças para ver e aceitar a realidade de que o sofrimento e a dor não acabam quando começamos a amar. Em alguns casos, quando estamos fazendo a lenta jornada de regresso do desamor para o amor, nosso sofrimento pode se tornar mais intenso. Como a letra de antigos *spirituals*[9] testemunha, "o choro pode durar uma noite, mas a alegria vem pela manhã". A aceitação da dor é parte da prática do amor. Ela nos permite distinguir o sofrimento construtivo da dor autoindulgente. Como a promessa do amor nunca foi realizada na nossa vida, talvez a prática mais difícil do amor seja confiar que a passagem pelo abismo doloroso conduz ao paraíso. Em *Lessons in Love: The Transformation of Spirit Through Intimacy* [Lições sobre o amor: a transformação do espírito através da intimidade], Guy Corneau sugere que muitos homens têm tanto medo de sentir a dor emocional que ficou trancada dentro deles por tanto tempo que voluntariamente escolhem uma vida de desamor: "Um grande número de homens simplesmente decide não se comprometer, porque não consegue lidar com a dor emocional do amor e com os conflitos que ele engendra". Mulheres frequentemente são diminuídas por tentarem ressuscitar esses homens e trazê-los de volta à vida e ao amor. Eles são, de fato, as verdadeiras belas adormecidas. Poderíamos estar vivendo num mundo ainda mais alienado e violento se as mulheres não realizassem o trabalho de ensinar aos homens que perderam o contato consigo mesmos como viver novamente. Esse trabalho do amor só é fútil quando os homens em questão se recusam a acordar, se recusam a crescer. Nesse ponto, é um gesto de amor-próprio das mulheres romper a relação e seguir em frente.

---

[9]. *Spirituals* são um tipo de canção religiosa popular muito associada à experiência da escravidão no sul dos Estados Unidos, e que se difundiu do final do século XVIII até a abolição, nos anos 1860. [N.E.]

Mulheres têm se esforçado em guiar homens para o amor porque o pensamento patriarcal sanciona esse trabalho ainda que o sabote, ensinando os homens a recusarem tais orientações. Cria-se um arranjo generificado no qual os homens dispõem de mais chances de ter suas necessidades emocionais atendidas, enquanto as mulheres se mantêm em privação. Ter suas necessidades emocionais atendidas ajuda a criar maior bem-estar psicológico. Como consequência disso, os homens recebem uma vantagem que coincide claramente com a insistência patriarcal de que são superiores e, portanto, mais adequados para governar os outros. Caso as necessidades emocionais das mulheres fossem atendidas, se a reciprocidade fosse a norma, a dominação masculina perderia o seu encanto. Infelizmente, o movimento de homens que surgiu como resposta à crítica feminista a uma masculinidade machista com frequência encorajava os homens a entrar em contato com seus sentimentos, mas a só compartilhá-los em um contexto "seguro", geralmente entre outros homens. Robert Bly, um dos principais líderes desse movimento, tinha pouco a dizer sobre os homens e o amor. Os homens no movimento não estimulavam uns aos outros a buscar mulheres conscientes à procura de orientações no caminho do amor.

Aqueles que escolhem seguir a trilha do amor estão bem servidos caso tenham um guia. Esse guia pode nos ajudar a ultrapassar o medo se confiarmos que ele não nos levará pelo mau caminho nem nos abandonará no meio da jornada. Sempre me surpreendo com quanto confiamos corajosamente em estranhos. Ficamos doentes e entramos em hospitais onde depositamos nossa confiança num grupo de pessoas que não conhecemos, na esperança de que elas nos façam melhorar.

Contudo, frequentemente tememos depositar nossa confiança emocional em indivíduos queridos que podem ser amigos leais por toda a vida. Isso é simplesmente um pensamento equivocado, e que deve ser superado para sermos transformados pelo amor.

    A prática do amor exige tempo. Sem dúvida, a maneira como trabalhamos nesta sociedade deixa os indivíduos com tão pouco tempo que, quando não estamos trabalhando, estamos física ou emocionalmente cansados para trabalhar na arte de amar. Quantas vezes ouvimos alguém dizer que trabalhava tanto que não tinha tempo para o amor, de modo que precisou diminuir o ritmo ou sair do emprego para criar espaço para amar? Embora filmes como *Uma Segunda Chance* (1991) e *O Pescador de Ilusões* (1991) teçam narrativas sentimentais sobre homens de classe alta sofrendo de doenças que põem sua vida em risco e os levam a reavaliar como gastam seu tempo, na vida real ainda não vemos muitos exemplos de homens e mulheres poderosos fazendo pausas a fim de criar um espaço para realizar o trabalho do amor em sua vida. Certamente, indivíduos que amam alguém que está mais preocupado com o trabalho sentem uma imensa frustração quando se arriscam a guiar o parceiro no caminho do amor. Sinceramente, não haveria problema de desemprego em nosso país se nossos impostos subsidiassem escolas onde todos pudessem aprender a amar. Empregos compartilhados poderiam se tornar a norma. Com o amor no centro de nossa vida, o trabalho poderia ter um significado e um foco diferentes.

    Quando praticamos o amor, queremos nos doar mais. O egoísmo e a recusa em aceitar o outro são motivos centrais do fracasso nos relacionamentos amorosos. Em *Love the Way*

You Want It: Using Your Head in Matters of the Heart [Ame do jeito que você quiser: usando a cabeça para assuntos do coração], Robert Sternberg confirma:

> Se nos perguntassem a causa mais frequente da destruição de relacionamentos [...] eu diria que é o egoísmo. Vivemos numa era de narcisismo, e muitas pessoas nunca aprenderam ou esqueceram como ouvir as necessidades dos outros. A verdade é que, se você quiser fazer uma única mudança em si mesmo que melhore o seu relacionamento — literalmente, do dia para a noite —, essa mudança seria pôr os interesses de seu parceiro em pé de igualdade com os seus.

Dar generosamente nas relações românticas e em todos os outros vínculos significa reconhecer quando a outra pessoa precisa da nossa atenção. Atenção é um recurso importante.

O compartilhamento generoso de recursos é uma forma concreta de expressar amor. Esses recursos podem ser tempo, atenção, objetos materiais, habilidades, dinheiro etc. Uma vez que embarcamos no caminho do amor, vemos como é fácil doar. Um presente útil que todo praticante do amor pode oferecer é o perdão. Ele não apenas permite que nos movamos para além da culpa, deixando de ver os outros como a causa de nosso desamor constante, como nos possibilita experimentar a capacidade de agir, sabendo que podemos ser responsáveis por dar e encontrar amor. Precisamos não culpar os outros pelos nossos sentimentos de escassez, pois sabemos como supri-los. Nós sabemos como nos dar amor e como reconhecer o amor que existe em tudo à nossa volta. Muito da raiva e da fúria que sentimos em relação à ausência emocional é liberada quando perdoamos a nós mesmos e aos outros. O perdão nos abre e nos prepara para receber amor. Prepara o caminho para que doemos de todo o coração.

Dar nos põe em comunhão com todos. É uma forma de compreendermos que há realmente o suficiente de tudo para todos. Na tradição cristã, ouvimos que dar "abre as janelas do paraíso", sendo-nos oferecida "uma bênção que não temos espaço suficiente para receber". Na sociedade patriarcal, a melhor maneira de homens que querem romper com a dominação começarem a prática do amor é a doação e a generosidade. É por isso que pensadoras feministas exaltavam as virtudes da atuação dos homens na criação dos filhos. Trabalhando como cuidadores de crianças pequenas, muitos homens são capazes de experimentar pela primeira vez a alegria de servir.

Ao darmos uns aos outros, aprendemos a experimentar a reciprocidade. Para curar a guerra entre os gêneros baseada em lutas por poder, mulheres e homens escolhem fazer da reciprocidade a base de seus vínculos, garantindo que o crescimento de cada pessoa seja importante e seja estimulado. Isso aprimora nossa capacidade de conhecer a alegria. Em *A Heart as Wide as the World: Stories on the Path of Lovingkindness* [Um coração tão vasto quanto o mundo: histórias sobre o caminho da gentileza amorosa], Sharon Salzberg escreve: "A prática da generosidade nos liberta da sensação de isolamento que emerge do apego e da busca por segurança". Cultivar um coração generoso, que é, de acordo com Salzberg, "a qualidade mais importante de uma mente desperta", fortalece os laços românticos. Dar é o modo de aprender a receber. A prática de dar e receber mutuamente é um ritual diário quando conhecemos o amor verdadeiro. Um coração generoso está sempre aberto, sempre pronto para receber nossas idas e vindas. Em meio a tal amor, nunca precisamos temer o abandono. Este é o presente mais precioso que o amor verdadeiro nos oferece: a experiência de saber que sempre fazemos parte.

Doar cura o espírito. Somos exortados pela tradição espiritual a presentear aqueles que conhecem o amor. O amor é uma ação, uma emoção participativa. Quando nos engajamos num processo de amor-próprio ou de amar os outros, devemos nos mover além do reino do sentimento para tornar o amor real. É por isso que é útil ver o amor como uma prática. Quando agimos, não precisamos nos sentir inadequados ou impotentes; podemos confiar que existem passos concretos para trilhar o caminho do amor. Aprendemos a nos comunicar, a nos aquietar e a ouvir as necessidades de nossos corações, e aprendemos a ouvir os outros. Aprendemos compaixão ao estarmos dispostos a ouvir a dor, assim como a alegria, daqueles que amamos. O caminho para o amor não é árduo ou oculto, mas precisamos escolher dar o primeiro passo. Se não conhecemos o caminho, sempre há um espírito amoroso com uma mente aberta e iluminada, capaz de nos mostrar como pegar a trilha que leva ao coração do amor, o caminho que nos leva de volta ao amor.

10.
romance:
o doce amor

> *Doce amor, diz*
> *Onde, como e quando*
> *O que queres tu de mim?*
> *[...]*
> *Sou tua, para ti nasci:*
> *O que queres tu de mim?*
>
> — Santa Teresa d'Ávila

Para regressar ao amor, para alcançar o amor que sempre quisemos mas nunca tivemos, para ter o amor que queremos mas não estamos preparados para dar, procuramos relacionamentos românticos. Nós acreditamos que esses relacionamentos, mais que quaisquer outros, vão nos resgatar e nos redimir. O amor verdadeiro de fato tem o poder de redimir, mas só se estivermos prontos para a redenção. O amor nos salva apenas se quisermos ser salvos. Muitas pessoas que buscam o amor foram ensinadas na infância a se sentirem indignas, a sentir que ninguém poderia amá-las como realmente eram, e construíram um falso *self*. Na vida adulta, elas conhecem pessoas que se apaixonam por esse falso *self*. No entanto, esse amor não dura. Em algum ponto, relances do verdadeiro *self* emergem e a decepção vem. Com a rejeição pela pessoa amada, a mensagem recebida na infância se confirma: ninguém poderia amá-las como realmente são.

Poucos de nós entram em relacionamentos românticos tendo capacidade de receber amor. Criamos envolvimentos amorosos condenados a repetir nossos dramas familiares. Geralmente não sabemos que isso vai acontecer, precisamente porque crescemos numa cultura que nos diz que não importa o que experimentamos ou vivemos em nossa infância, não importa a dor, a tristeza, a alienação, o vazio, pouco importa a extensão de nossa desumanização, o amor romântico será nosso. Acreditamos que vamos encontrar a garota dos nossos sonhos. Acreditamos que "um dia o nosso príncipe chegará". Eles aparecem do jeito como imaginamos que seria. Queríamos que a pessoa amada aparecesse, mas a maioria de nós não tinha realmente clareza do que fazer com ela — o que era o amor, o que queríamos fazer e como faríamos. Não estávamos prontos para abrir completamente nosso coração.

Em seu primeiro livro, *O olho mais azul*, a romancista Toni Morrison identifica a ideia do amor romântico como uma "das ideias mais destrutivas na história do pensamento humano". Sua destrutividade habita na noção de que alcançamos o amor sem vontade e sem capacidade de escolher. Essa ilusão, perpetuada por tantas narrativas românticas, se mantém como uma barreira que nos impede de aprender a amar. Para preservar nossa fantasia, substituímos o amor pelo romance.

Quando a relação romântica é representada como um projeto — ou, pelo menos, assim a mídia, especialmente o cinema, gostaria que acreditássemos —, mulheres são as arquitetas e projetistas. Todo mundo gosta de imaginar que mulheres são românticas, sentimentais em relação ao amor, e que os homens as acompanham até onde elas querem chegar. Mesmo em relações não heterossexuais, o paradigma de líder e seguidor frequentemente prevalece, com uma pessoa assumindo o papel considerado feminino e a outra, o papel designado como masculino. Sem dúvida foi alguém desempenhando o papel de líder que surgiu com a ideia de que "caímos de amor" ao nos apaixonarmos, de que não temos escolha e decisão quando escolhemos um parceiro porque, quando existe química, quando há um clique, simplesmente acontece — somos subjugados —, perdemos o controle. Essa forma de pensar o amor parece ser especialmente útil para homens que são socializados por meio de ideias patriarcais de masculinidade para não entrar em contato com o que sentem. No ensaio "Love and Need", Thomas Merton argumenta: "A expressão 'cair de amores' reflete uma atitude peculiar em relação ao amor e à própria vida — uma mistura de medo, espanto, fascinação e confusão. Ela implica suspeita, dúvida, hesitação na presença de algo inevitável, embora não de todo confiável". Se você não sabe o que sente, é difícil escolher amar; é melhor cair. Assim você não precisa ser responsável por suas ações.

Ainda que psicanalistas — de Fromm, nos anos 1950, a Peck, nos dias de hoje — critiquem a ideia de que "caímos de amores", continuamos a reforçar a fantasia de uma união sem esforço. Seguimos acreditando que somos arrastados, arrebatados, que não temos escolha nem vontade. Em *A arte de amar*, Fromm fala diversas vezes do amor como uma ação, "essencialmente um ato da vontade". Ele afirma: "Amar alguém não é apenas um sentimento forte: é uma decisão, um julgamento, uma promessa. Se o amor fosse apenas um sentimento, não haveria base para a promessa de amar um ao outro para sempre. O sentimento vem e pode ir-se". Peck trabalha a partir da definição de Fromm quando descreve o amor como a vontade de se empenhar para promover o próprio crescimento espiritual ou o de outra pessoa, acrescentando: "O desejo de amar não é amor. O amor se expressa amando. É um ato da vontade — isto é, tanto uma intenção quanto uma ação. A vontade também implica escolha. Nós não temos de amar. Escolhemos amar". Apesar desses *insights* brilhantes e dos conselhos sábios que oferecem, a maioria das pessoas continua relutante em abraçar a ideia de que é mais verdadeiro, mais real, pensar em escolher amar que se apaixonar.

Ao descrever nossos desejos românticos em *Life Preservers* [Preservadores da vida], a terapeuta Harriet Lerner observa que a maioria das pessoas quer um parceiro "que seja maduro e inteligente, leal e confiável, amoroso e atento, sensível e franco, gentil e estimulante, competente e responsável". Independentemente da intensidade desse desejo, ela conclui: "Poucos de nós avaliamos um possível parceiro com a mesma objetividade e clareza que podemos usar para avaliar um eletrodoméstico ou um carro". Para sermos capazes de avaliar criticamente um parceiro, precisaríamos dar um passo atrás e olhar criticamente para nós mesmos, nossas necessidades, desejos e anseios. Para mim, foi difícil pegar de fato um pedaço de papel e me avaliar para saber se eu era capaz de dar o amor que eu queria receber. E ainda mais difícil foi fazer uma lista das qualidades que gostaria de encontrar num parceiro. Listei dez itens. E então, quando apliquei essa lista a homens que eu tinha escolhido como parceiros em potencial, me confrontei dolorosamente com a discrepância entre o que eu queria e o que eu havia escolhido aceitar. Ao avaliar nossas necessidades e então escolher nossos parceiros cuidadosamente, tememos descobrir que não há ninguém para amar. A maioria de nós prefere ter um parceiro em quem falte algo a não ter parceiro algum. Pode-se concluir que talvez estejamos mais interessadas em encontrar companhia que em conhecer o amor.

Várias vezes, quando falo com alguém sobre abordar o amor com vontade e intencionalidade, ouço a manifestação do medo de que isso acabe com o romance. Simplesmente não vai. Abordar o amor romântico a partir de uma base de cuidado, conhecimento e respeito na verdade intensifica o romance. Ao dedicarmos tempo para nos comunicarmos com um parceiro em potencial, não ficamos mais aprisionados pelo medo e pela ansiedade subjacentes às interações românticas que acontecem sem conversa ou compartilhamento de intenções e desejos. Conversei com uma amiga que declarou que sempre teve medo extremo de relações sexuais, mesmo com alguém que conhecia bem e a quem desejava. Seu medo se enraizava na vergonha que ela sentia de seu corpo, aprendida na infância. Anteriormente, seus encontros com homens só intensificaram tal vergonha. Geralmente, os homens não levavam a ansiedade dela a sério. Sugeri que ela poderia tentar convidar o novo homem em sua vida para um almoço, com a intenção de conversar com ele sobre prazer sexual, do que gostavam e do que não gostavam, de suas esperanças e medos. Depois, ela me contou que o almoço foi incrivelmente erótico; estabeleceu um terreno comum para que os dois se sentissem sexualmente à vontade um com o outro quando finalmente alcançaram esse estágio em seu relacionamento.

•••

A atração erótica frequentemente serve como catalisador para uma conexão íntima entre duas pessoas, mas não é um sinal de amor. O sexo excitante e prazeroso pode acontecer entre duas pessoas que nem sequer se conhecem. No entanto, a vasta maioria dos homens em nossa sociedade está convencida de que seus desejos eróticos indicam quem eles deveriam e poderiam amar. Guiados pelo pênis, seduzidos pelo desejo erótico, eles frequentemente acabam em relacionamentos com parceiras com quem não compartilham interesses ou valores em comum. Na sociedade patriarcal, a pressão sobre os homens para apresentarem uma boa "performance" sexual é tão grande que eles frequentemente se sentem satisfeitos por estar com alguém com quem têm prazer no sexo, ignorando todo o resto. Eles encobrem esses erros ao trabalhar demais, ou encontrando colegas de quem gostam fora do casamento ou do compromisso romântico. É comum que levem muito tempo para identificar o desamor que podem sentir. E esse reconhecimento geralmente precisa ser ocultado para resguardar a insistência machista de que homens nunca admitem fracasso.

Mulheres raramente escolhem homens apenas com base na conexão erótica. Embora a maioria das mulheres reconheça a importância do prazer sexual, elas consideram que não é o único ingrediente necessário para construir relacionamentos fortes. E, vamos encarar a realidade, o fato de o machismo estereotipar as mulheres como cuidadoras torna aceitável que elas articulem necessidades emocionais. Então, as mulheres são socializadas para se preocupar mais com a conexão emocional. Mulheres que só passaram a nomear seus anseios eróticos na esteira da permissão concedida pelo movimento feminista e pela libertação sexual sempre puderam falar de sua fome de amor. Isso não significa que encontramos o amor que desejamos. Como os homens, nós geralmente nos conformamos com o desamor porque somos atraídas por outros aspectos que compõem um parceiro. Compartilhar a paixão sexual pode ser uma força que une e sustenta um relacionamento problemático, mas não é o campo de testes para o amor.

Essa é uma das grandes tristezas da vida. Com muita frequência, mulheres e alguns homens têm seus prazeres eróticos mais intensos com parceiros que os ferem de outras maneiras. A intensidade da intimidade sexual não serve de catalisador para o respeito, o carinho, a confiança, a compreensão e o compromisso. Casais que raramente ou nunca fazem sexo podem conhecer o amor duradouro. O prazer sexual fortalece os laços do amor, mas eles podem existir e ser satisfatórios quando o desejo sexual está ausente. No fim, a maioria de nós escolheria um grande amor em vez de paixão sexual constante, se tivéssemos de optar. Por sorte, não temos que fazer essa escolha, porque geralmente temos prazer erótico satisfatório com quem amamos.

O melhor sexo e o sexo mais satisfatório não são a mesma coisa. Tive ótimas relações sexuais com homens que eram terroristas íntimos, homens que seduzem e atraem dando justamente o que você sente que o seu coração precisa e então, gradual ou abruptamente, param quando percebem ter conquistado a sua confiança. E eu me senti intensamente realizada sexualmente em vínculos com parceiros amorosos que tinham menos habilidade e experiência. Por causa da socialização machista, mulheres tendem a pôr a satisfação numa perspectiva adequada. Reconhecemos seu valor sem permitir que se torne a régua absoluta para uma conexão íntima. Mulheres esclarecidas querem encontros eróticos prazerosos tanto quanto os homens, mas, no limite, preferimos a satisfação erótica dentro de um contexto em que exista conexão íntima, amorosa. Se os homens fossem socializados para desejar amor tanto quanto são ensinados a desejar sexo, veríamos uma revolução cultural. Na situação atual, a maioria dos homens tende a se preocupar mais com a performance e a satisfação sexual do que com a capacidade de dar e receber amor.

Ainda que o sexo seja importante, a maioria de nós não é mais hábil em articular nossas necessidades e desejos sexuais do que em verbalizar o desejo pelo amor. Ironicamente, a presença de uma doença sexualmente transmissível que põe a vida das pessoas em risco se tornou o motivo pelo qual mais casais passaram a se comunicar a respeito de seu comportamento erótico. As mesmas pessoas (em especial, homens) que até agora declaravam que "muita conversa" tornava as coisas menos românticas descobrem que falar não ameaça o prazer de modo algum; apenas altera a sua natureza. Onde antes o desconhecido era a base para a excitação e a intensidade erótica, agora esse papel é desempenhado pelo conhecimento. Muitas pessoas que temiam a perda da intensidade romântica e/ou erótica fizeram essa mudança radical em sua forma de pensar e se surpreenderam ao descobrir que suas suposições anteriores de que a conversa matava o romance estavam erradas.

A aceitação cultural dessa mudança mostra que todos somos capazes de alterar nossos paradigmas, as formas estruturais de pensar e fazer as coisas que se tornam habituais.

Somos todos capazes de mudar nossas atitudes em relação a "cair de amores". Podemos reconhecer o "clique" que sentimos quando conhecemos alguém novo apenas como isso — uma sensação misteriosa de conexão que pode ter ou não a ver com amor. Podemos vivê-la ou não como sendo a conexão primeva e ao mesmo tempo reconhecer que ela nos levará ao amor. Como as coisas poderiam ser diferentes se, em vez de dizer "acho que me apaixonei", disséssemos "tenho uma conexão com alguém de um jeito que me faz achar que estou a caminho de conhecer o amor". Ou se, em vez de dizermos "estou apaixonada", disséssemos "estou amando" ou "vou amar". Nossos padrões em torno do amor romântico dificilmente mudarão se não mudarmos a nossa linguagem.

Nós todos estamos desconfortáveis com as expressões convencionais que usamos para falar do amor romântico. Todos sentimos que essas expressões e o pensamento por trás delas estão entre os motivos pelos quais entramos em relacionamentos que não funcionaram. Quando olhamos para trás, vemos que, em larga medida, a maneira como falávamos desses laços antecipava o que aconteceria no relacionamento. Eu certamente mudei a maneira como falo e penso a respeito do amor em resposta à deficiência emocional que eu sentia em mim e nos meus relacionamentos. Começando com definições claras de amor, sentimento, intenção e vontade, não entro mais em relacionamentos com a falta de consciência que me levou a fazer com que todos os vínculos fossem pontos de repetição de antigos padrões.

Embora eu tenha experimentado muitas decepções em minha jornada para amar e ser amada, ainda acredito no poder transformador do amor. A decepção não fez com que eu fechasse meu coração. Entretanto, quanto mais falo com as pessoas ao meu redor, descubro que a decepção está difundida e que isso leva muitas pessoas a serem profundamente cínicas em relação ao amor. Muitas simplesmente pensam que o valorizamos demais. Nossa cultura pode até dar um valor exagerado ao amor como fantasia comovente ou mito, mas não faz muito em relação à arte de amar. Nossa decepção é direcionada ao amor romântico. Nós fracassamos com o amor romântico quando não aprendemos a arte de amar. É comum confundirmos uma paixão perfeita com um amor perfeito. Uma paixão perfeita acontece quando encontramos alguém que parece ter tudo o que queríamos ver em um parceiro. Digo "parece" porque a intensidade da conexão geralmente nos cega. Vemos aquilo que queremos ver. Em *Soul Mates* [Almas gêmeas], Thomas Moore argumenta que o encantamento da ilusão romântica tem seu lugar e que "a alma floresce em fantasias efêmeras". Enquanto a paixão perfeita nos oferece seus prazeres e perigos particulares, para quem está em busca do amor perfeito isso só pode ser um estágio preliminar do processo.

    Nós só podemos ir da paixão perfeita ao amor perfeito quando as ilusões passam e somos capazes de usar as energias e a intensidade criadas por um laço erótico intenso e irresistível para aumentar a autodescoberta. Paixões perfeitas geralmente acabam quando despertamos de nosso encantamento e descobrimos que apenas nos deixamos levar para longe de nós mesmos. As paixões se tornam amor perfeito quando nos dão coragem de encarar a realidade, de abraçar nosso verdadeiro *self*. Reconhecer essa relação significativa entre a paixão perfeita e o amor perfeito desde o início de um relacionamento pode ser a inspiração necessária que nos empodera para escolher o amor. Quando amamos com intenção e vontade, demonstrando carinho, respeito, conhecimento e responsabilidade, nosso amor nos satisfaz. Indivíduos que querem acreditar que não há satisfação no amor, que o verdadeiro amor não existe, se apegam a tais presunções porque esse desespero é realmente mais fácil de encarar do que o fato de que o amor é real, mas está ausente de sua vida.

Nos últimos dois anos, falei muito sobre o amor. Meu tema tem sido "amor verdadeiro". Tudo começou quando passei a falar do desejo do meu coração, a dizer para amigos, plateias, pessoas sentadas ao meu lado em ônibus e aviões que eu "estava procurando o amor verdadeiro". Com cinismo, quase todos os meus interlocutores me informavam que eu estava procurando por um mito. Os poucos que ainda acreditavam no amor verdadeiro compartilhavam a profunda convicção de que "você não pode procurar por ele", de que, se você estiver destinada a isso, "simplesmente vai acontecer". Eu não apenas acredito de todo o meu coração que o amor verdadeiro existe como abraço a ideia de que seu acontecimento é um mistério — que se dá sem qualquer esforço da vontade humana. E, se esse é o caso, ele vai acontecer se procurarmos por ele ou não. No entanto, não perdemos o amor ao procurar por ele. De fato, aqueles de nós que fomos magoados, decepcionados, desiludidos devemos abrir nosso coração se quisermos que o amor entre. O ato de se abrir é uma maneira de buscar o amor.

Eu experimentei o amor verdadeiro. Essa experiência intensifica meu anseio e meu desejo pela busca. O amor verdadeiro em minha vida me apareceu pela primeira vez num sonho. Eu tinha sido convidada para uma conferência sobre cinema e estava hesitante em participar. Detesto ser bombardeada por um monte de novas ideias de uma vez; eu me sinto como se tivesse comido demais. No entanto, sonhei que me diziam que, se eu fosse à conferência, conheceria o homem dos meus sonhos. As imagens oníricas eram tão vívidas que acordei com a sensação de necessidade. Liguei para uma amiga e lhe contei a história. Ela concordou em ir à conferência comigo, como minha testemunha. Poucas semanas depois, chegamos ao evento, no meio de uma sessão em que os debatedores estavam no palco. Apontei para o homem cuja imagem tinha aparecido no meu sonho. Depois da sessão, eu o conheci e conversamos. Conhecê-lo foi como ver um parente ou um amigo que não encontrava havia anos. Fomos jantar. Havia um sentimento de reconhecimento mútuo entre nós, desde o início. Era como se nos conhecêssemos. Conforme nossa conversa avançou, ele me contou que estava comprometido em um relacionamento. Fiquei intrigada e confusa. Eu não podia acreditar que as forças divinas do universo me levariam ao homem dos meus sonhos quando não havia possibilidade concreta de realizar esses sonhos completamente. É claro, aqueles sonhos eram sobre estar em uma relação romântica. Esse era o começo de uma lição difícil a respeito do amor verdadeiro.

...

Aprendi que podemos encontrar um amor verdadeiro e que nossa vida pode ser transformada por tal encontro, mesmo que ele não leve ao prazer sexual, a um vínculo de compromisso ou mesmo a um contato constante. O mito do amor verdadeiro — aquela visão de contos de fadas em que duas almas se encontram, se juntam e vivem felizes depois disso — é coisa de fantasias infantis. Entretanto, muitos de nós, mulheres e homens, carregam essas fantasias para a vida adulta e são incapazes de lidar com a realidade do que significa ter uma conexão intensa, que altera nossa vida, mas que não levará a um relacionamento duradouro ou sequer a um relacionamento. O amor verdadeiro nem sempre nos leva ao "viveram felizes para sempre" e, mesmo quando leva, sustentar o amor ainda dá trabalho.

Todas as relações têm altos e baixos. Frequentemente, a fantasia romântica alimenta a crença de que dificuldades e momentos difíceis são uma indicação de falta de amor, em vez de parte do processo. A base do amor é o pressuposto de que queremos crescer e nos expandir, nos tornar quem somos completamente. Não há mudança que não traga consigo um sentimento de desafio e perda. Quando experimentamos o amor verdadeiro, pode parecer que nossa vida está em risco; podemos nos sentir ameaçados.

O amor verdadeiro é diferente do amor que está baseado no cuidado básico, na boa vontade e na velha e conhecida atração diária. Nós todos somos atraídos continuamente pelas pessoas (por seu estilo, pelo que pensam, por sua aparência etc.) que conhecemos e que, se tivéssemos a chance, poderíamos amar de uma hora para outra. No livro *Love and Awakening*, John Welwood faz uma distinção útil entre esse tipo de atração, com a qual todos estamos familiarizados, que ele chama de "conexão do coração", e um outro tipo, que ele chama de "conexão da alma". Ele a define assim:

> Uma conexão da alma é uma ressonância entre duas pessoas que reagem à beleza essencial da natureza individual uma da outra,

por trás das fachadas, e se conectam num nível mais profundo. Esse tipo de reconhecimento mútuo oferece o catalisador para uma alquimia potente. É uma aliança sagrada cujo propósito é ajudar ambos os parceiros a descobrir e realizar seus potenciais mais profundos. Enquanto uma conexão do coração nos permite apreciar as pessoas que amamos do jeito como são, uma conexão da alma abre uma dimensão mais ampla — vê-las e amá-las pelo que elas poderiam ser, e pelo que nós podemos nos tornar influenciados por elas.

Criar uma conexão de coração com alguém geralmente não é um processo difícil.

Ao longo de nossa vida, encontramos muitas pessoas pelas quais sentimos aquele clique especial que poderia nos levar para o caminho do amor. No entanto, esse clique não é a mesma coisa que uma conexão da alma. Frequentemente, um vínculo mais profundo com outra pessoa, uma conexão da alma, acontece quer desejemos ou não. Na verdade, às vezes somos atraídos por alguém sem nem saber por quê, mesmo quando não desejamos contato. Muitos casais com os quais conversei e que encontraram o amor verdadeiro se divertiam contando que, quando se conheceram, um deles não tinha achado o outro nem um pouco atraente, embora se sentisse misteriosamente interessado por aquele indivíduo. Em todos os casos em que as pessoas sentiam que tinham encontrado o amor verdadeiro, todas afirmaram que o laço não foi simples ou fácil. Para muita gente, isso parece confuso, precisamente porque nossa fantasia do amor verdadeiro é de que ele será assim: simples e fácil.

Geralmente imaginamos que o amor verdadeiro será intensamente prazeroso e romântico, cheio de amor e luz. Na verdade, o amor verdadeiro está totalmente relacionado ao trabalho. O poeta Rainer Maria Rilke observou sabiamente:

> Como em muitos outros casos, as pessoas também confundiram o papel do amor na vida, transformaram-no em diversão e prazer, porque pensaram que diversão e prazer seriam algo mais feliz que o trabalho; mas não há nada mais feliz que o trabalho, e o amor, por ser a felicidade extrema, não pode ser outra coisa a não ser trabalho.

A essência do amor verdadeiro é o reconhecimento mútuo — dois indivíduos que veem um ao outro como realmente são. Todos nós sabemos que a abordagem comum é conhecer alguém de quem gostamos e mostrar a melhor versão de nós, ou até mesmo um falso *self*, que acreditamos ser mais simpático para a pessoa que queremos atrair. Quando nosso verdadeiro *self* aparece em sua inteireza, quando o bom comportamento se torna demais para sustentarmos e as máscaras são retiradas, a decepção vem. Com muita frequência, indivíduos sentem, depois desse momento — quando os sentimentos estão feridos e o coração, partido —, que era um caso de identidade trocada, que a pessoa amada era um estranho. Eles viram o que queriam ver, em vez do que estava realmente ali.

O amor verdadeiro é uma história diferente. Quando acontece, os indivíduos geralmente se sentem em contato com a identidade mais profunda um do outro. Embarcar nesse tipo de relacionamento é assustador precisamente porque sentimos que não há lugar para nos escondermos. Nós somos conhecidos. Todo o êxtase que sentimos emerge conforme esse amor nos nutre e nos desafia a crescer e a nos transformar. Descrevendo o amor verdadeiro, Eric Butterworth afirma:

> O amor verdadeiro é um tipo peculiar de revelação por meio da qual vemos a pessoa em sua inteireza — ao mesmo tempo que aceitamos totalmente o nível em que ela se expressa agora — sem qualquer ilusão de que o potencial é uma história presente. O amor verdadeiro aceita a pessoa que agora não tem qualificações, mas mantendo um compromisso sincero e constante de ajudá-la a alcançar seus objetivos de autodesdobramento — os quais nós poderíamos ver melhor que ela.

Na maior parte do tempo, pensamos que amor significa apenas aceitar a outra pessoa como ela é. Quem de nós não aprendeu do jeito mais difícil que não podemos mudar uma pessoa, moldá-la no ser amado ideal que gostaríamos que fosse. Contudo, quando nos comprometemos com o amor verdadeiro, estamos comprometidos a sermos mudados, a sermos afetados pela pessoa amada de uma maneira que nos permite ser mais autorrealizados. Esse compromisso com a mudança é uma escolha. Acontece como um acordo mútuo. Repetidamente, as declarações mais comuns que ouço serem reafirmadas a respeito do amor verdadeiro são de que ele é "incondicional". O amor verdadeiro *é* incondicional, mas, para desabrochar verdadeiramente, demanda um compromisso constante com a luta e a transformação construtivas.

A pulsação do amor verdadeiro é a disposição de refletir sobre as próprias ações, processar e comunicar essa reflexão à pessoa amada. Como Welwood observa: "Dois seres que têm uma conexão de almas querem se engajar num diálogo proveitoso, de amplo espectro, e comungar um com o outro da maneira mais profunda possível". Honestidade e abertura são sempre a base do diálogo que desperta reflexões. A maioria de nós não foi criada em lares onde víamos dois adultos que se amavam profundamente conversarem. Nós não vemos isso na televisão e nos filmes. Assim, como é que qualquer uma de nós pode se comunicar com homens que ouviram durante toda a sua vida que não podem expressar como se sentem? Homens que querem amar, mas não sabem que, antes, devem aprender a verbalizar, devem aprender a deixar seu coração falar — e então a falar a verdade. Escolher ser totalmente honesto, revelar quem somos, é arriscado. A experiência do amor verdadeiro nos dá coragem para correr riscos.

Enquanto estivermos com medo de arriscar, não podemos conhecer o amor. Por isso, o truísmo: "Amar é se desapegar do medo". Nosso coração nos conecta a muitas pessoas ao longo de nossa vida, mas a maioria de nós vai para a sepultura sem ter a experiência do amor verdadeiro. Isso não é de forma alguma trágico, já que a maioria de nós foge quando o verdadeiro amor se aproxima. Uma vez que o verdadeiro amor lança luz sobre aqueles aspectos de nós que queremos negar ou esconder, permitindo que vejamos quem somos claramente e sem vergonha, não é surpreendente que tantos indivíduos que dizem querer conhecer o amor se afastem quando esse amor lhes acena.

•••

Não importa com que frequência desviemos nossa mente e coração — ou quanto teimemos na recusa em acreditar em sua magia —, o amor verdadeiro existe. Todos o desejam, mesmo aqueles que dizem que perderam a esperança. Mas nem todo mundo está pronto. O amor verdadeiro aparece apenas quando nosso coração está pronto. Há alguns anos, fiquei doente e levei um daqueles sustos do câncer em que o médico diz que, se seus exames derem positivo, você não terá muito tempo de vida. Ao ouvir suas palavras, fiquei deitada, pensando: não era possível que eu morresse, porque não estava pronta, ainda não havia conhecido o amor verdadeiro. Foi então que me comprometi comigo mesma a abrir meu coração; eu estava pronta para receber esse amor. E ele veio.

Esse relacionamento não durou para sempre, e foi difícil encarar isso. Todas as narrativas românticas da nossa cultura dizem que, quando encontramos o amor verdadeiro com um parceiro, a relação vai persistir. Mas essa parceria só dura se as duas partes se mantiverem comprometidas em amar. Nem todo mundo pode suportar o peso do amor verdadeiro. Corações feridos se afastam do amor porque não querem fazer o trabalho de cura necessário para sustentar e nutrir o amor. Muitos homens, em especial, frequentemente se afastam do verdadeiro amor e escolhem relacionamentos em que podem se conter emocionalmente quando querem, mas ainda assim receberem o amor de outro alguém. No fim, escolhem o poder, em vez do amor. Para conhecer e manter o amor verdadeiro, temos de estar dispostos a abrir mão do desejo de poder.

Quando alguém conhece o amor verdadeiro, a força transformadora desse amor perdura, mesmo quando não temos mais a companhia da pessoa com quem experimentamos cuidado mútuo e crescimento profundo. Tomas Merton escreve:

"Nós descobrimos quem somos de verdade no amor". Muitos de nós não estamos prontos para abraçar nosso verdadeiro *self*, principalmente quando viver com integridade nos afasta de nossos mundos familiares. Com frequência, quando passamos por um processo de autodescoberta, por um tempo, podemos nos perceber mais sozinhos. Ao escrever sobre escolher estar só em vez de ter uma companhia que não alimenta a alma, Maya Angelou nos lembra de que "nunca é solitário na Babilônia". O medo de encarar o amor verdadeiro pode realmente levar alguns indivíduos a permanecer em situações de escassez e frustração. Lá, eles não estão sozinhos, não correm riscos.

Amar de forma total e profunda nos coloca em risco. Quando amamos, somos completamente transformados. Merton afirma:

> O amor afeta mais que nosso pensamento e nosso comportamento em relação a quem amamos. Ele transforma nossa vida inteira. O amor verdadeiro é uma revolução pessoal. O amor pega suas ideias, seus desejos e suas ações e os funde numa experiência e numa realidade vivida que é um novo você.

Nós frequentemente estamos em fuga do "novo você". Em *Illusions: The Adventures of a Reluctant Messiah* [Ilusões: as aventuras de um messias relutante], história de amor autobiográfica de Richard Bach, o autor descreve tanto sua fuga do amor quanto seu regresso. Para regressar ao amor, ele teve de estar disposto a se sacrificar e se render, a abandonar a fantasia de ser alguém sem necessidades emocionais constantes e reconhecer sua necessidade de amar e ser amado. Nós sacrificamos nosso antigo *self* para sermos transformados pelo amor, e nos entregamos ao poder do novo *self*.

No contexto dos vínculos românticos, o amor nos oferece uma chance única de sermos transformados dentro de uma atmosfera celebratória e acolhedora. Sem "cair de amores", podemos reconhecer aquele momento de conexão misteriosa entre a nossa alma e a de outra pessoa como a tentativa do amor de nos chamar de volta para o nosso verdadeiro *self*. Intensamente conectados com outra alma, nos tornamos ousados e corajosos. Ao usar esse desejo destemido de conexão como um catalisador para escolher o amor e nos comprometermos com ele, somos capazes de amar de verdade e profundamente, de dar e receber um amor que perdura, um amor que é "mais forte que a morte".

11.
perda:
amar na vida
e na morte

> *Você precisa confiar que nenhuma amizade tem fim, que uma comunhão de santos existe entre todos aqueles que, vivos e mortos, verdadeiramente amaram uns aos outros e a Deus. Aqueles que você amou profundamente e que morreram vivem em você, não apenas como memórias, mas como presenças reais.*
>
> — Henri Nouwen

O amor nos faz sentir mais vivos. Quando vivemos num estado de desamor, sentimos que poderíamos muito bem estar mortos; tudo dentro de nós é silêncio e imobilidade. "Assassinato da alma" é o termo usado pelos psicanalistas para descrever esse estado de morte em vida. Ele ecoa a declaração bíblica de que "qualquer um que não conhece o amor ainda está na morte". Culturas de dominação cortejam a morte. Por isso a fascinação constante pela violência, a falsa insistência de que é natural os fortes atacarem os fracos, os poderosos atacarem os sem poder. Em nossa cultura, a adoração da morte é tão intensa que se põe como obstáculo ao amor. Em seu leito de morte, Erich Fromm perguntou a um amigo querido por que nós preferimos o amor pela morte ao amor pela vida, por que "a raça humana prefere a necrofilia à biofilia". Vinda de Fromm, essa questão era meramente retórica, pois ele passou a vida explicando nosso fracasso cultural em abraçar totalmente a realidade de que o amor dá significado à vida.

Em contraste com o amor, a morte toca a todos nós em algum momento. Nós vamos testemunhar a morte dos outros ou vamos testemunhar nossa própria morte, ainda que seja naquele breve instante em que a vida se esvai. Viver em desamor não é um problema sobre o qual reclamamos aberta e prontamente. Contudo, a realidade de que vamos todos morrer cria grande preocupação, medo e angústia. É bastante possível que o culto à morte, indicado pelo espetáculo constante de mortes a que assistimos na tela da TV diariamente, seja uma forma pela qual nossa cultura tenta paralisar esse medo, conquistá-lo, para nos deixar confortáveis. Ao refletir sobre o significado da morte na cultura contemporânea, Thomas Merton explica:

> A psicanálise nos ensinou algo sobre o desejo de morte que permeia o mundo moderno. Nós descobrimos que nossa rica sociedade é profundamente viciada no amor pela morte. [...] Numa sociedade assim, muito pode ser dito oficialmente a respeito de valores humanos, mas quando há, na verdade, uma escolha entre os vivos e os mortos, entre homens e dinheiro, ou homens e poder, ou homens e bombas, a escolha sempre será pela morte, pois a morte é o fim e o objetivo da vida.

Nossa obsessão cultural pela morte consome a energia que poderia ser dedicada à arte de amar.

O culto à morte é um componente central do pensamento patriarcal, seja ele expresso por homens ou mulheres. Teólogos visionários veem o fracasso da religião como um dos motivos pelos quais a nossa cultura continua centrada na morte. No livro *Original Blessing: A Primer in Creation Spirituality Presented in Four Paths, Twenty-Six Themes, and Two Questions* [A bênção original: uma introdução à espiritualidade da criação apresentada em quatro caminhos, 26 temas e duas questões], Matthew Fox afirma: "A civilização ocidental preferiu o amor pela morte ao amor pela vida, na medida em que suas tradições religiosas preferiram a redenção à criação, o pecado ao êxtase, e a introspecção individual à consciência e apreciação cósmicas". Em sua maioria, perspectivas patriarcais moldaram os ensinamentos e as práticas religiosas. Recentemente, houve um afastamento desses ensinamentos em direção a uma espiritualidade baseada na criação, que promove a vida. Fox chama isso de "a via positiva": "Sem esse enraizamento sólido nos poderes da criação, nós nos tornamos pessoas entediadas, violentas. Nós nos tornamos necrófilos apaixonados pela morte e pelos poderes e principados da morte". Nós nos afastamos dessa adoração pela morte desafiando o patriarcado, criando a paz, trabalhando por justiça e abraçando uma ética amorosa.

Ironicamente, o culto à morte como uma estratégia para lidar com o medo subjacente de seu poder não nos consola. Ele produz uma ansiedade profunda. Quanto mais assistimos a espetáculos de mortes sem sentido, de violência e crueldade aleatórias, mais medo sentimos em nosso dia a dia. Não podemos abraçar um estranho com amor, pois tememos o estranho. Acreditamos que o estranho é um mensageiro da morte que deseja a nossa vida. Esse medo irracional é uma expressão da loucura, se pensarmos que a loucura significa que perdemos o contato com a realidade. Embora seja mais provável que sejamos machucados por alguém que conhecemos do que por um estranho, nosso medo é direcionado ao desconhecido e ao não familiar. Esse medo traz consigo intensa paranoia e obsessão constante com segurança. O número crescente de condomínios fechados em nosso país é apenas um exemplo da obsessão por segurança. Com guardas nos portões, os indivíduos ainda têm barreiras e sistemas elaborados de vigilância. Estadunidenses gastam mais de trinta bilhões de dólares por ano com segurança. Quando fiquei hospedada com amigos em um desses condomínios, questionei se toda essa segurança era uma reação a um perigo real, e a resposta foi: "Na verdade, não". É o medo da ameaça, em vez da ameaça real, o catalisador para uma obsessão por segurança que beira a loucura.

Culturalmente, testemunhamos essa loucura todos os dias. Nós todos podemos contar histórias intermináveis de como isso se faz presente na vida diária. Por exemplo, um homem branco adulto abre a porta quando um jovem asiático toca a campainha. Vivemos numa cultura em que, sem reagir a qualquer gesto de agressão ou hostilidade por parte do estranho, que apenas está perdido e tentando encontrar o endereço correto, o homem branco atira nele, acreditando proteger sua vida e sua propriedade. Esse é um exemplo cotidiano de loucura. A pessoa que é realmente a ameaça aqui é o dono da casa, que foi tão bem socializado pelo pensamento da supremacia branca, do capitalismo, do patriarcado, que não pode mais reagir racionalmente.

A supremacia branca lhe ensinou que todas as pessoas não brancas são ameaças, independentemente de seu comportamento. O capitalismo lhe ensinou que, seja qual for o custo, sua propriedade pode e deve ser protegida. O patriarcado lhe ensinou que sua masculinidade precisa ser provada pela disposição em conquistar por meio do medo e da agressão; que não seria másculo perguntar antes de agir. Então, a mídia noticia o caso no telejornal de um modo que parece quase jocoso e celebratório, como se nenhuma tragédia tivesse acontecido, como se o sacrifício de uma jovem vida fosse necessário para defender o valor da propriedade e a honra patriarcal branca. Espectadores são encorajados a sentir simpatia pelo homem branco proprietário de uma casa que cometeu um erro. O fato de que esse erro provocou a morte violenta de um jovem inocente não conta; a narrativa é apresentada de uma maneira que encoraja os espectadores a se identificarem com quem cometeu o erro, com quem fez o que somos levados a sentir que todos devemos fazer para "proteger nossa propriedade a todo custo de qualquer sensação de ameaça". Essa é a aparência do culto à morte.

Toda adoração à morte que vemos em nossas televisões, todas as mortes que testemunhamos diariamente não nos preparam de jeito algum para encarar a mortalidade com consciência, clareza ou paz de espírito. Quando o culto à morte está fundamentado no medo, ele não nos permite viver plenamente ou bem. Merton argumenta: "Se nos tornamos obcecados com a ideia da morte escondida, esperando por nós numa emboscada, não estamos tornando a morte mais real, mas a vida menos real. Nossa vida é dividida contra si mesma. Ela se torna um cabo de guerra entre o amor e o medo de si mesma. Então a morte opera no centro da vida, não em seu fim, mas como medo da vida". Para viver plenamente, precisaríamos abandonar o nosso medo de morrer. Esse medo só pode ser abordado a partir do amor pela vida. Nos Estados Unidos, temos um longo histórico de acreditar que ser muito festivo é perigoso, que ser otimista é tolice; por isso, temos dificuldade em celebrar a vida, em ensinar a nossas crianças e a nós mesmos como amar a vida.

Muitos de nós passam a amar a vida apenas quando confrontados com doenças que a colocam em risco. Com certeza, encarar a possibilidade da minha morte me deu coragem para olhar de frente a falta de amor em minha vida. Muitas obras contemporâneas visionárias sobre a morte e o morrer destacam o aprendizado de como amar. Amar permite que transformemos nossa celebração da morte em uma celebração da vida. Em uma carta jamais enviada a um de meus amores verdadeiros, escrevi:

> Durante o funeral da irmã, minha amiga fez um discurso no qual declarou: "Sua morte fez com que nós a amássemos completamente". Somos muito mais capazes de abraçar a perda de pessoas íntimas que amamos ou de amigos quando sabemos que demos a eles tudo o que podíamos — quando compartilhamos com eles o reconhecimento mútuo e o pertencimento no amor que a morte jamais poderá mudar ou tirar de nós. A cada dia, sou grata por ter conhecido um amor que me permite aceitar a morte sem qualquer medo de incompletude ou falta, sem qualquer sensação de arrependimento irreversível. Esse foi um presente que você me deu. Eu o aprecio; nada muda o seu valor. Ele permanece precioso.

Amar faz isso. O amor nos empodera para viver plenamente e morrer bem. Então, a morte se torna não o fim da vida, mas uma parte dela.

Em *A roda da vida*, autobiografia publicada pouco depois de sua morte, Elisabeth Kübler-Ross conta a história de seu despertar para o entendimento de que poderia encarar a morte sem medo:

> Naqueles primeiros dias do que seria conhecido como o nascimento da tanatologia, ou o estudo da morte, a melhor professora que tive foi uma faxineira negra. Não me lembro de seu nome [...]. O que chamou minha atenção, no entanto, foi o efeito que sua presença causava em muitos dos pacientes mais graves. Cada vez que ela saía dos seus quartos, eu notava uma diferença palpável nas atitudes deles.
>
> Queria saber o segredo dela. Tomada por uma curiosidade irrefreável, eu literalmente espionava essa mulher que nunca estudara numa faculdade, mas sabia um grande segredo.

O segredo detido pela sábia mulher negra, do qual Kübler-Ross se apropriou positivamente, era que precisamos fazer amizade com a morte e deixar que ela nos guie durante a vida, encontrando-a sem medo. Quando a faxineira negra — que havia vencido uma série de dificuldades em sua vida, que perdera prematuramente pessoas queridas — entrava nos quartos de pessoas à beira da morte, ela trazia consigo a disposição de falar abertamente sobre a morte, sem medo. Esse anjo sem nome deu a Kübler-Ross a lição mais valiosa de sua vida, ao dizer a ela: "A morte não é uma estranha para mim. É uma velha conhecida, de muito tempo". É preciso coragem para fazer amizade com a morte. Encontramos essa coragem na vida por meio do amor.

Nosso medo coletivo da morte é uma doença do coração. O amor é a única cura. Muitas pessoas tratam a morte com desespero porque percebem que não viveram a vida como queriam. Elas nunca encontraram seu "eu verdadeiro" ou nunca encontraram o amor que seu coração desejava conhecer. Às vezes, ao encarar a morte, elas se dão o amor que não se concederam durante grande parte de sua vida. Elas se dão aceitação, o amor incondicional que é o núcleo do amor-próprio. Em seu prefácio a *Intimate Death* [Morte íntima], Marie de Hennezel descreve ter testemunhado o quanto se aproximar da morte pode permitir que as pessoas se tornem mais plenamente autorrealizadas:

> No momento de intensa solidão, quando o corpo se verga à beira do infinito, começa a correr um tempo distinto, que não pode ser medido de forma normal. No curso de vários dias, algo acontece, com a ajuda de outra presença, que permite que a dor e o desespero se apresentem, e aqueles que estão morrendo se agarram à sua vida, se apossam dela, liberam sua verdade. Eles descobrem a liberdade de serem verdadeiros consigo mesmos.

Esse reconhecimento do poder do amor no leito de morte é um momento de êxtase. Teríamos sorte se sentíssemos seu poder todos os dias e não apenas quando o fim desses dias se aproxima.

Quando amamos todos os dias, não precisamos da ameaça iminente da morte certa para sermos verdadeiros com nós mesmos. Vivendo com consciência e clareza de mente e coração, somos capazes de aceitar a nossa morte de uma maneira que nos permite viver mais plenamente, porque sabemos que a morte está sempre conosco. Não há ninguém entre nós que seja um desconhecido para a morte. Nosso primeiro lar no útero é também uma cova, onde esperamos a chegada da vida. Nossa primeira experiência de vida é um momento de ressurreição, um movimento para longe das sombras, em direção à luz. Quando assistimos a uma criança sair fisicamente do útero, sabemos que estamos na presença de um milagre.

Contudo, não leva muito tempo para que esqueçamos a harmonia mágica da transição da morte para a vida. E a morte logo se torna a passagem que queremos evitar. No entanto, tem ficado cada vez mais difícil para a nossa nação escapar da morte. Embora tenhamos, em média, uma vida mais longa, agora a morte nos cerca mais que nunca, à medida que tantas doenças graves tiram a vida das pessoas que amamos, de nossos amigos e conhecidos, muitos ainda jovens. Essa forte presença da morte frequentemente não consegue penetrar nossa negação cultural de que a morte está sempre entre nós, e as pessoas ainda se recusam a deixar que a consciência da mortalidade as guie.

Quando eu era menina, nossa mãe falava com simplicidade sobre a possibilidade de morrer. Com frequência, quando deixávamos para o dia seguinte o que poderia ser feito hoje, ela nos lembrava que "a vida não está garantida". Esse era o jeito dela de nos estimular a viver plenamente — viver de modo a não nos arrependermos. Eu me surpreendo constantemente quando amigos e estranhos agem como se qualquer conversa a respeito da morte fosse um sinal de pessimismo e morbidade. A morte está entre nós. Vê-la sempre e somente como um assunto negativo é perder de vista seu poder de melhorar cada momento.

Com sorte, esses curadores e consoladores que trabalham com os moribundos nos mostram como encarar a realidade da morte, de modo que falar a respeito dela não seja tabu. Assim como frequentemente somos incapazes de falar de nossa necessidade de amar e ser amados, porque temos medo de que nossas palavras sejam interpretadas como sinais de fraqueza ou fracasso, raramente somos capazes de compartilhar nossos pensamentos sobre a mortalidade e a perda. Não surpreende, portanto, que sejamos coletivamente incapazes de confrontar a importância do luto. Assim como os moribundos costumam ser isolados para que o processo de morrer seja presenciado por apenas alguns poucos, indivíduos de luto são encorajados a se permitirem sentir apenas no privado, em ambientes apropriados, longe do resto de nós. O luto prolongado é particularmente perturbador numa cultura que oferece remendo rápido para qualquer dor. Às vezes me surpreende saber de maneira intuitiva que há pessoas enlutadas ao redor de todos nós, mas não vemos sinais explícitos de seus espíritos angustiados. Somos ensinados a sentir vergonha pelo luto que perdura. Como uma mancha nas nossas roupas, ele nos marca como falhos, imperfeitos. Apegar-se ao luto, querer expressá-lo, é estar fora de sintonia com a vida moderna, em que os descolados não se abalam ficando de luto.

O amor não conhece a vergonha. Ser amoroso é estar aberto ao luto, a ser tocado pela dor, mesmo quando é uma dor interminável. A forma como vivemos nosso luto é informada pelo fato de conhecermos ou não o amor. Uma vez que amar permite que nos desapeguemos do medo, esse ato também guia nosso luto. Dado que o compromisso é um aspecto importante do amor, nós que amamos sabemos que devemos preservar os laços na vida e na morte. Nosso luto, nossa permissão para que sintamos a perda de pessoas que amamos, é uma expressão do nosso compromisso, uma forma de comunicação e comunhão. Saber disso e ter a coragem de reivindicar o nosso luto como uma expressão do amor não torna o processo simples numa cultura que nos nega a alquimia emocional do luto. Em grande medida, nossa desconfiança cultural em relação ao luto intenso está enraizada no medo de que liberar tal paixão nos tome e nos afaste da vida. Esse medo, porém, geralmente é equivocado. Em seu sentido mais profundo, o luto é uma chama no coração, um calor intenso que nos dá consolo e alívio. Quando recusamos a total expressão do nosso luto, ele se mantém como um peso em nosso coração, causando dor emocional e padecimentos físicos. O luto frequentemente é mais implacável quando os indivíduos não estão reconciliados com a realidade da perda.

O amor nos convida a sofrer pelos mortos como um ritual de perda e como celebração. Conforme abrimos nosso coração e falamos sobre o luto, compartilhamos o conhecimento íntimo de nossos mortos, de quem eles eram e como viveram. Nós honramos sua presença nomeando os legados que nos deixaram. Não precisamos conter o luto quando o usamos como meio de intensificar nosso amor pelos que estão morrendo, pelos nossos mortos ou pelos que ainda estão vivos.

Próximo do fim de sua carreira brilhante, Kübler-Ross estava convencida de que, na realidade, não há morte, apenas um abandono do corpo para assumir uma outra forma. Para aqueles que acreditam na vida após a morte, em ressurreição ou reencarnação, a morte se torna, então, não um fim, mas um novo começo. Essas revelações, embora esclarecedoras, não alteram o fato de que na morte nós chegamos ao fim de nossa vida corpórea na Terra. É por isso que saber como amar uns aos outros também é uma forma de saber como morrer. Quando a poeta Elizabeth Barrett Browning declara em seu soneto "E te amarei melhor depois da morte", ela atesta a importância da memória da comunhão com nossos falecidos.

Quando permitimos que nossos mortos sejam esquecidos, nós nos tornamos presas da ideia de que o fim da vida corpórea corresponde à morte do espírito. Na escritura bíblica, a voz divina declara: "Eu vos coloquei diante da vida e da morte, portanto, escolham a vida". Acolher o espírito que vive além do corpo é uma maneira de escolher a vida. Abraçamos esse espírito por meio de rituais de rememoração, por meio de cerimônias em que invocamos a presença espiritual de nossos mortos, e por meio de rituais comuns na vida diária, em que mantemos por perto os espíritos daqueles que perdemos. Às vezes evocamos os mortos ao permitir que a sabedoria que eles compartilharam conosco guie nossas ações no presente. Ou os evocamos reencenando um de seus hábitos. E o luto, que talvez nunca nos deixe, mesmo quando não permitimos que ele nos tome, também é uma maneira de homenagear nossos mortos, de mantê-los por perto.

Em uma cultura como a nossa, na qual poucos de nós buscam conhecer o amor verdadeiro, o luto geralmente é sobrepujado pelo arrependimento. Nós nos arrependemos das coisas não ditas, dos conflitos que ficaram sem reconciliação. Vez ou outra, quando me pego esquecendo de celebrar a vida, desatenta em relação ao fato de que acolher a morte pode elevar e aprimorar a maneira como interajo com o mundo, tiro um tempo para pensar se eu estaria em paz sabendo que deixei alguém sem dizer o que estava em meu coração, que parti com palavras duras. Tento diariamente aprender a me despedir das pessoas como se pudéssemos nunca mais nos ver. Essa prática nos faz mudar o modo como falamos e interagimos. É uma forma de viver conscientemente.

A única forma de viver uma vida em que, como canta Edith Piaf, "não me arrependo de nada" é despertando para a consciência do valor do modo de vida correto e da ação correta. Entender que a morte está sempre conosco pode servir como um lembrete fiel de que o tempo para fazer aquilo que queremos fazer é sempre agora, e não algum futuro distante e inimaginável. O monge budista Thich Nhat Hanh ensina, em *Our Appointment with Life: Discourse on Living Happily in the Present Moment* [Nossa hora marcada com a vida: discurso sobre viver feliz no momento presente], que nós encontramos nosso *self* verdadeiro ao viver plenamente no presente:

> Voltar ao presente é estar em contato com a vida. A vida só pode ser encontrada no presente, porque "o passado não é mais" e "o futuro ainda não chegou". [...] Nosso compromisso com a vida é no momento presente. O lugar de nosso compromisso é bem aqui, exatamente neste lugar.

Por vivermos numa cultura que sempre nos encoraja a fazer planos para o futuro, não é tarefa fácil desenvolver a capacidade de "estar aqui agora".

Quando vivemos plenamente no presente, quando reconhecemos que a morte está sempre conosco, e não apenas no momento em que damos nosso último suspiro, não ficamos devastados por acontecimentos que não podemos controlar — a perda de um emprego, a rejeição de alguém com quem esperávamos nos conectar, a perda de um amigo ou companheiro de longa data. Thich Nhat Hanh nos lembra que "tudo o que buscamos só pode ser encontrado no presente" e que "abandonar o presente para buscar as coisas no futuro é jogar fora a substância e se apegar à sombra". Estar aqui agora não significa deixar de fazer planos, mas aprender a investir apenas uma pequena quantidade de energia na elaboração de projetos para o futuro. E, uma vez que esse planejamento esteja feito, nos libertamos do apego a eles. Às vezes, é de muita ajuda escrever nossos planos para o futuro e deixá-los de lado, fora da vista e fora da cabeça.

Aceitar a morte com amor significa que abraçamos a realidade do inesperado, de experiências que não podemos controlar. Nós não precisamos ter ansiedade infinita e nos preocuparmos se vamos realizar nossos objetivos ou planos. A morte está sempre ali para nos lembrar que nossos planos são transitórios. Ao aprender a amar, aprendemos a aceitar a mudança. Sem mudança, não podemos crescer. Nosso desejo de crescer no espírito e na verdade é como nos posicionamos diante da vida e da morte, prontos para escolher a vida.

12.
cura:
o amor redentor

Fomos levados para a adega interna e marcados com Seu selo, que é sofrer por amor. O ardor desse amor supera imensamente qualquer sofrimento que atravessemos, pois o sofrimento chega ao fim, mas o amor é para sempre.

— Tessa Bielecki

O amor cura. Quando somos feridos nos espaços onde deveríamos conhecer o amor, é difícil imaginar que o amor realmente tenha o poder de mudar tudo. Não importa o que tenha acontecido em nosso passado: quando abrimos nosso coração para o amor, podemos viver como se tivéssemos nascido de novo, sem esquecer o passado, mas vendo-o de uma forma nova, deixando que ele viva dentro de nós de uma nova maneira. Seguimos adiante com a percepção renovada de que o que já passou não pode mais nos machucar. Ou ainda: se em nosso passado fomos amados, sabemos que não importa a presença ocasional do sofrimento em nossa vida, pois sempre voltaremos para a calma e a felicidade recordadas. A rememoração atenta nos permite reunir outra vez os pedaços e os cacos de nosso coração. É assim que a cura começa.

Ao contrário do que possamos ter sido ensinados a pensar, sofrimentos desnecessários e não escolhidos nos ferem, mas não precisam deixar cicatrizes para a vida toda. Eles de fato nos marcam. O que permitimos que as marcas de nossos sentimentos se tornem está em nossas mãos. Na antologia de ensaios *Da próxima vez, o fogo*, James Baldwin escreve sobre o sofrimento no processo de cura, afirmando: "Não pretendo fazer sentimentalismo à custa do sofrimento — o que existe já dispensa ser explorado —, mas é impossível deixar de reconhecer que um povo que ignora o sofrimento jamais chegará à maturidade, nunca chegará a conhecer-se pelo que é". No fundo, crescer é o processo de aprender a assumir a responsabilidade pelo que vier a acontecer em sua vida. Escolher crescer é abraçar um amor que cura.

O poder curativo da mente e do coração está sempre presente porque temos a capacidade de renovar nossos espíritos infinitamente, de restaurar a alma. Eu sempre me sinto especialmente grata ao conhecer pessoas que não sentem que sua infância foi marcada por dores e sofrimentos desnecessários, pelo desamor. Sua presença me lembra que não precisamos passar por nada terrível para sentir profundamente, que nunca precisamos que o sofrimento nos seja imposto por atos de violência e abuso. Em certos momentos, seremos confrontados por sofrimento, por uma doença inesperada, uma perda. Essa dor virá, independentemente de nossa escolha, e nenhum de nós poderá escapar dela. A presença da dor em nossa vida não é um indicativo de disfunção. Nem todas as famílias são disfuncionais. E ao passo que tem sido crucial para a autorrecuperação coletiva que tenhamos exposto e continuemos a expor a disfunção, é igualmente importante revelar e celebrar sua ausência.

A menos que todos possamos imaginar um mundo em que a família não seja disfuncional, mas um lugar em que o amor exista em abundância, condenaremos a família a ser sempre apenas um lugar de dor. Em famílias funcionais, os indivíduos encaram conflitos, contradições, tempos de infelicidade e sofrimento, assim como nas famílias disfuncionais; a diferença está em como essas questões são confrontadas e resolvidas, em como todos lidam com momentos de crise. Famílias saudáveis resolvem conflitos sem coerção, constrangimento ou violência. Quando coletivamente movermos nossa cultura na direção do amor, poderemos ver essas famílias amorosas mais representadas na mídia. Elas se tornarão mais visíveis em todas as esferas da vida comum. Então, com esperança, ouviremos essas histórias com a mesma intensidade com que temos ouvido narrativas de dor e abuso violentos. Quando isso acontecer, a felicidade visível das famílias funcionais vai se tornar parte de nossa consciência coletiva.

Em *The Family: A Revolutionary Way of Self-Discovery* [A família: um caminho revolucionário para a autodescoberta], John Bradshaw apresenta esta definição:

> Uma família funcional saudável é aquela em que todos os membros são totalmente funcionais e todas as relações entre eles são plenamente funcionais. Como seres humanos, todos os integrantes de uma família têm à sua disposição o uso de todo o seu poder humano. Eles usam esses poderes para cooperar, individuar ou ter suas necessidades coletivas e individuais atendidas. Uma

família funcional é o solo fértil no qual os indivíduos podem se tornar seres humanos amadurecidos.

Numa família funcional se aprende autoestima e há um equilíbrio entre autonomia e dependência.

Muito antes de os termos "funcional" e "disfuncional" serem usados para identificar tipos de famílias, aqueles entre nós que foram feridos na infância os conheciam, porque sentíamos dor. E essa dor não ia embora quando saíamos de casa. Mais do que a nossa dor, nossos impulsos autodestrutivos e autossabotadores nos aprisionavam nos traumas da infância. Nós éramos incapazes de encontrar consolo ou libertação. Não podíamos escolher a cura, porque não tínhamos certeza de que poderíamos ser reparados, de que os pedaços partidos pudessem ser colados. Nós nos confortávamos fingindo. No entanto, esse consolo não durava. Geralmente, era sucedido por depressão e luto avassalador. Nós desejávamos ser resgatados, porque não sabíamos como nos salvar. Com muita frequência, nos viciávamos em viver perigosamente. Apegando-nos a esse vício, tornava-se impossível estarmos bem com a nossa alma. Assim como ocorre com qualquer outro vício, abandoná-lo e escolher estar bem era a nossa única maneira de resgate e recuperação.

Fingi de muitas formas ao longo de grande parte da minha vida. Quando comecei a caminhar pela trilha do amor, fiquei impressionada com a velocidade com que algumas disfunções anteriores eram alteradas. Na igreja da minha infância, sempre nos diziam que ninguém poderia conceder a salvação individual, que nós tínhamos que escolher por conta própria. Nós tínhamos que querer ser salvos. No romance *The Salt Eaters* [Os comedores de sal], de Toni Cade Bambara, mulheres mais velhas e sábias, que são curadoras, são convocadas a ajudar uma jovem que tentou o suicídio, e lhe dizem: "Então, só quando você tiver certeza, querida, e estiver pronta para ser curada, porque a integridade não é uma coisa boba — pesa muito quando você está bem". Fazer a escolha fundamental de ser salva não significa que não precisemos de apoio com problemas e dificuldades. É simplesmente o gesto inicial de assumir responsabilidade pelo nosso bem-estar, admitindo que estamos partidos, admitindo nossos ferimentos, e nos abrindo para a salvação, o que deve ser feito pelo indivíduo. Esse ato de abrir o coração nos possibilita receber a cura que nos é oferecida por aqueles que cuidam.

•••

Embora todos queiramos conhecer o amor, falamos sobre a busca pelo amor verdadeiro como se fosse sempre e apenas uma jornada solitária. Fico perturbada pela pesada ênfase atribuída ao "eu" por muitas obras *new age* dedicadas ao assunto, e por nossa cultura como um todo. Quando eu falava de meu anseio por um companheiro amoroso, as pessoas me diziam repetidamente que eu não precisava de mais ninguém. Elas me diziam que eu não precisava de companhia e/ou de um círculo de pessoas amadas, que deveria me sentir completa dentro de mim. Embora seja definitivamente verdadeiro que contentamento interior e senso de realização possam estar lá, tenhamos ou não uma comunhão amorosa com os outros, é igualmente significativo darmos voz ao desejo por comunhão. A vida sem comunhão no amor com os outros seria menos realizada, independentemente da extensão do amor-próprio.

Por todo o mundo, as pessoas vivem em contato íntimo umas com as outras. Elas lavam juntas, comem e dormem juntas, encaram desafios juntas, compartilham alegrias e dores. O indivíduo áspero que não confia em ninguém é uma figura que só pode existir numa cultura de dominação em que uns poucos privilegiados usam mais recursos do mundo que os muitos que devem viver diariamente sem acesso a eles. O culto ao individualismo nos levou, em parte, a uma cultura doentia de narcisismo, tão difundida em nossa sociedade.

Viajantes ocidentais vão a países pobres e ficam chocados com o grau de união entre pessoas que, embora não sejam materialmente ricas, têm o coração pleno. Não é por acaso que muitos dos professores espirituais em torno dos quais gravitamos em nossa sociedade abastada, orientada pelo *éthos* de um individualismo duro, vêm de culturas que valorizam a interdependência e o trabalho pelo bem coletivo em vez da independência e do ganho individual.

Enquanto termos como "codependência", que surgiram em programas para autorrecuperação individual, acertadamente mostram as formas pelas quais a dependência excessiva pode ser doentia, especialmente quando associada a vício, ainda precisamos falar a respeito da *interdependência* saudável. Nenhuma organização dedicada à cura demonstra esse princípio mais que os Alcoólicos Anônimos (AA). Os milhões de pessoas que frequentam reuniões do AA procuram um lugar para se recuperar e veem que a comunidade acolhedora que os cerca cria um ambiente de cura. Essa comunidade oferece aos indivíduos, a alguns pela primeira vez em sua vida, um gosto de aceitação, carinho, conhecimento e responsabilidade, que é o amor em ação. Raramente, se é que isso acontece, nós nos curamos em isolamento. A cura é um ato de comunhão.

A maioria de nós encontra esse espaço de comunhão curativa entre almas afins. Outros indivíduos se recuperam em comunhão com o espírito divino. Santa Teresa d'Ávila encontrou, em sua união com o divino, o reconhecimento, o conforto e o consolo. Ela escreveu:

> Pensais que importa pouco a uma alma dissipada entender essa verdade e ver que não precisa, para falar com seu Pai eterno ou para regalar-se com Ele, ir ao céu nem falar em altos brados?
> Por mais baixo que fale, Ele está tão perto que a ouvirá [...], bastando pôr-se em solidão e olhar para dentro de si, não estranhando a presença de tão bom hóspede. A alma deve, com grande humildade, falar-lhe [...].

A oração oferece um espaço em que falar cura. É sem dúvida um sinal da crise espiritual dos nossos tempos que livros sejam escritos para apresentar evidências de que a oração acalma o espírito. Todas as tradições religiosas reconhecem que há conforto em se voltar para o sagrado por meio de palavras, seja pela liturgia tradicional, pela oração ou por cantos. Eu rezo diariamente como um gesto de vigilância espiritual. A oração é um exercício que fortalece o poder da alma. O ato de me voltar para o divino sempre me lembra das limitações do pensamento e do desejo humanos. Mover-me, estender-me em direção ao que é ilimitado e sem fronteiras é um exercício que fortalece a minha fé e empodera a minha alma.

A oração oferece a cada pessoa um local privado de confissão. Há verdade no axioma "a confissão é boa para a alma".

Ela nos permite observar as nossas próprias transgressões, as formas como passamos dos limites (uma definição do significado de pecaminoso). Somente à medida que reconhecermos e confrontarmos as circunstâncias de nosso esquecimento espiritual é que assumiremos nossa responsabilidade. No livro *The Raft Is Not the Shore: Conversations Toward a Buddhist-Christian Awareness* [A jangada não é a margem: conversas rumo a uma consciência budista-cristã], Daniel Berrigan e Thich Nhat Hanh destacam que "a ponte da ilusão deve ser destruída antes que a verdadeira ponte possa ser construída". Em comunhão com o espírito divino, podemos reivindicar o espaço da responsabilidade e renovar nosso compromisso com aquela transformação do espírito que abre o coração e nos prepara para o amor.

Depois que fazemos a escolha de sermos curados pelo amor, a fé de que essa transformação virá nos dá a paz na mente e no coração que é necessária para a alma que busca uma revolução. É difícil esperar. Sem dúvida é por isso que a escritura bíblica convoca quem está na busca a aprender a esperar, pois a espera renova a nossa força. Quando nos entregamos à "espera", permitimos que as mudanças emerjam dentro de nós sem ansiedade ou luta. Ao fazermos isso, estamos dando um passo com fé. Em termos budistas, essa prática de se entregar, de se desapegar, possibilita que entremos num espaço de compaixão em que podemos sentir simpatia por nós mesmos e pelos outros. Essa compaixão nos desperta para o poder curativo do serviço.

O amor em ação tem sempre a ver com o serviço, com o que fazemos para aprimorar o crescimento espiritual. Um foco na reflexão individual, na contemplação, no diálogo terapêutico é vital para a cura. Mas não é o único caminho para nos recuperarmos. Servir aos outros é um caminho tão proveitoso para curar o coração quanto qualquer outra prática terapêutica. Para servir verdadeiramente, devemos sempre esvaziar o ego a fim de que possa existir um espaço para que reconheçamos as necessidades dos outros e sejamos capazes de atendê-las. Quanto maior a nossa compaixão, mais conscientes estamos das formas de nos movermos em direção aos outros que tornam a cura possível.

Conhecer a compaixão completamente é se envolver num processo de perdão e reconhecimento que permite nos livrarmos de toda a nossa bagagem que possa servir como empecilho para a cura. A compaixão abre o caminho para que indivíduos sintam empatia pelos outros sem julgamento. Julgar os outros aumenta a nossa alienação. Quando julgamos, somos menos capazes de perdoar. A ausência de perdão nos mantêm centrados na vergonha. Nosso espírito pode ter sido quebrado repetidamente em rituais de desprezo nos quais fomos constrangidos pelos outros ou constrangemos a nós mesmos. A vergonha nos quebra e nos enfraquece, nos mantendo longe da integridade oferecida pela cura. Quando praticamos o perdão, abandonamos a vergonha. Enraizada em nossa vergonha, sempre está a sensação de sermos indignos. Ela separa. A compaixão e o perdão nos reconectam.

O perdão não apenas nos permite superar o estranhamento; ele intensifica nossa capacidade de apoiarmos uns aos outros. Sem perdão consciente não pode existir reconciliação genuína. Fazer as pazes com nós mesmos e com os outros é o presente que a compaixão e o perdão nos oferecem. É um processo de esvaziamento, no qual nos desapegamos de todo desperdício para que haja um lugar limpo dentro de nós onde podemos ver os outros como nos vemos. Em *Forgiveness: A Bold Choice for a Peaceful Heart*, Casarjian explica:

> Mesmo pequenos atos de perdão sempre têm ramificações significativas num nível pessoal. Mesmo pequenos atos de perdão contribuem para o senso de confiança em si mesmo e no potencial dos outros; eles contribuem para um espírito humano que é fundamentalmente esperançoso e otimista, em vez de pessimista ou derrotado; eles contribuem para conhecer a si mesmo e aos outros como pessoas potencialmente poderosas que podem escolher criar amorosamente, em vez de ver os seres humanos como basicamente egoístas, destrutivos e pecadores.

Quando temos clareza na mente e no coração, somos capazes de conhecer o prazer, de nos envolver no mundo sensual à nossa volta com um prazer que é imediato e profundo. No ensaio "Down at the Cross" [Ajoelhado diante da cruz], James Baldwin afirma: "Ser sensual [...] é respeitar e se alegrar com a força da vida, com a vida em si, e estar presente em tudo que se faz, do esforço de amar até a partilha do pão". A poeta Adrienne Rich alerta para a perda da sensualidade em *What is Found There? Notebooks on Poetry and Politics* [O que encontramos lá? Cadernos de poesia e política]: "A vitalidade sensual é essencial para a luta pela vida. É simples — e ameaçador — assim". O distanciamento do reino dos sentidos é resultado direto do excesso de indulgência, de se adquirir demais. É por isso que viver com simplicidade é parte crucial da cura. Conforme começamos a simplificar, a deixar a desordem ir embora, seja a bagunça do desejo ou a bagunça material real e os negócios incessantes que ocupam todos os espaços, recuperamos nossa capacidade de sermos sensuais. Quando o corpo adormecido, dormente e amortecido para o mundo dos sentidos desperta, é uma ressureição que nos revela como o amor é mais forte que a morte.

•••

O amor redime. Apesar de todo o desamor que nos cerca, nada tem sido capaz de bloquear nosso desejo pelo amor, a intensidade do nosso anseio. A compreensão de que o amor redime parece ser um aspecto resiliente do saber do coração. O poder curativo do amor redentor nos atrai e nos convoca em direção à possibilidade de cura. Não podemos dar conta da presença do saber do coração. Como todos os grandes mistérios, somos todos misteriosamente convocados a amar, independentemente das condições de nossa vida, do grau de nossa depravação ou desespero. Sem esperança, não podemos regressar ao amor. Rompendo com nosso senso de isolamento e abrindo a janela da oportunidade, a esperança nos dá uma razão para seguir adiante. É uma prática do pensamento positivo. Ser positivo, viver um estado permanente de esperança, renova o espírito. Renovando nossa fé na promessa do amor, a esperança é nossa cúmplice.

Comecei a pensar e a escrever sobre o amor quando encontrei cinismo em lugar de esperança nas vozes de jovens e velhos. O cinismo é nossa maior barreira diante do amor. Ele se enraíza em dúvida e desespero. O medo intensifica nossas dúvidas. Paralisa. A fé e a esperança permitem que nos desapeguemos do medo. O medo atravessa o caminho para o amor. Quando trazemos para o coração a insistência bíblica de que "não há medo no amor", compreendemos a necessidade de escolher pensamentos e ações corajosos. Essa escritura nos encoraja a encontrar conforto em saber que "o amor perfeito afasta os nossos medos". Esse é o nosso lembrete de que, ainda que o medo exista, ele pode ser libertado pela experiência do amor perfeito. A alquimia do amor perfeito é tal que oferece a todos nós um amor capaz de derrotar o medo. O que o medo fragmenta ou torna estranho, o amor perfeito transforma em inteiro. É esse amor perfeito que é redentor — que pode, como o calor de um fogo alquímico intenso, queimar as impurezas e deixar a alma livre.

É significativo que a escritura bíblica nos diga que é crucial que o amor afaste o medo "porque o amor tem o tormento". Essas palavras falam diretamente sobre a presença da angústia em nossa vida quando somos conduzidos pelo medo. A prática de amar é a força curativa que nos traz paz duradoura. É a prática do amor que transforma. Conforme alguém dá e recebe amor, o medo vai embora. Conforme vivemos a compreensão de que "não há medo no amor", nossa angústia diminui e reunimos forças para entrar mais profundamente no paraíso do amor. Quando somos capazes de aceitar que nos darmos completamente ao amor restaura a alma, nos tornamos perfeitos no amor.

O poder transformador do amor não é acolhido totalmente em nossa sociedade, porque com frequência acreditamos, de forma equivocada, que o tormento e a angústia são nossa condição "natural". Essa presunção parece ser reforçada pela tragédia constante que prevalece na sociedade moderna. Em um mundo angustiado pela destruição desenfreada, o medo prevalece. Quando amamos, não permitimos mais que nosso coração seja aprisionado pelo medo. O desejo de ser poderoso se enraíza na intensidade do medo. O poder nos dá a ilusão de termos triunfado sobre o medo, sobre nossa necessidade de amor.

Para regressar ao amor, para conhecer o amor perfeito, abandonamos o desejo pelo poder. É essa revelação que torna as escrituras sobre o amor perfeito tão proféticas e revolucionárias para os nossos tempos. Nós não podemos conhecer o amor se permanecermos incapazes de abrir mão de nosso apego ao poder, se qualquer sentimento de vulnerabilidade despertar terror em nosso coração. O desamor atormenta.

Conforme se intensifica nossa consciência cultural em relação às formas como somos seduzidos para nos afastarmos do amor, para nos afastarmos de saber que o amor cura, nossa angústia se intensifica. Mas o mesmo acontece com nossos anseios. O espaço de nossa falta também é o espaço da possibilidade. Conforme ansiamos, nos preparamos para receber o amor que está vindo para nós como um presente, uma promessa, um paraíso terreno.

13.
destino:
quando os anjos falam de amor

Amar é nosso verdadeiro destino. Nós não encontramos o significado da vida sozinhos, por conta própria — nós o encontramos com outros.

— Thomas Merton

Acreditar no amor divino me confortou na minha infância, quando eu me sentia sobrepujada pela solidão e pela dor. O consolo de saber que eu poderia abrir meu coração para Deus e para os anjos fez com que eu me sentisse menos sozinha. Eles estavam lá comigo durante noites escuras e aterrorizantes para a alma, quando ninguém mais entendia. Eles estavam lá comigo, ouvindo meu choro e a dor no meu coração. Eu não podia vê-los, mas sabia que estavam lá. Eu os ouvia sussurrar sobre a promessa do amor, me deixando saber que tudo ficaria bem com a minha alma, falando ao meu coração numa doce linguagem divina secreta.

Os anjos testemunham. Eles são os espíritos guardiães que observam, protegem e nos guiam ao longo de nossa vida. Às vezes assumem forma humana. Em outros momentos, são puro espírito — invisíveis, inimagináveis, apenas eternamente presentes. Um sinal de que está ocorrendo um despertar religioso em nossa cultura é nossa obsessão com anjos. Imagens de anjos estão em todos os lugares; eles são personagens de filmes, livros, cartões de aniversário e calendários, cortinas e papéis de parede. Anjos representam para nós visões de inocência, de seres que não carregam o fardo da culpa ou da vergonha. Tanto faz se os imaginamos com o rosto arredondado e escuro da tradição copta ou como os querubins alados que costumamos ver, eles são os mensageiros do divino. Nós os vemos como aqueles que sempre trazem notícias que darão alívio ao nosso coração.

Nossa paixão cultural pelo angélico expressa nosso desejo de estar no paraíso, de regressar na Terra a um tempo de conexão e boa vontade, um tempo em que nosso coração estava íntegro. Ainda que as imagens de anjos que vemos mais comumente sejam figuras infantis iluminadas com arrebatamento e êxtase inexprimível, eles carregam, como mensageiros, o peso de nossos fardos, de nossas dores e de nossas alegrias. Nas representações, eles geralmente recebem essa aparência de criança para nos lembrar que a iluminação vem apenas quando voltamos a um estado infantil e renascemos.

Nós vemos os anjos como criaturas de coração iluminado num movimento ligeiro em direção ao paraíso. Seus seres e o peso de seu conhecimento nunca são estáticos. Sempre em mutação, eles veem através de nosso falso *self*. Donos de perspicácia psíquica, da intuição e da sabedoria do coração, eles mantêm a promessa da vida plena por meio da união entre o conhecimento e a responsabilidade. Como guardiães do bem-estar da alma, eles cuidam de nós e conosco. Nossa virada em direção aos anjos evoca nosso anseio de abraçar o crescimento espiritual. Revela nosso desejo coletivo de regressar ao amor.

•••

As primeiras histórias de anjos que ouvi quando criança foram contadas na igreja. Dos ensinamentos religiosos, aprendi que, como mensageiros do divino, os anjos eram consoladores sábios. Eles eram capazes de nos auxiliar em nosso crescimento espiritual. Amantes incondicionais do espírito humano, estavam lá para nos ajudar a encarar a realidade sem medo. A história de anjo que permaneceu mais vívida ao longo de minha infância e na vida adulta é a narrativa do confronto de Jacó com um anjo, a caminho de sua casa. Jacó não era apenas qualquer velho herói bíblico, ele era um homem capaz de amor intenso, apaixonado. Saindo da natureza selvagem, para onde havia fugido na juventude para escapar de conflitos familiares, Jacó chega à terra onde seus parentes vivem. Ele conhece Raquel, sua alma gêmea. Embora ele rapidamente reconheça seu amor por ela, eles só podem se unir depois de muito trabalho duro, luta e sofrimento.

Nós ficamos sabendo que, por Raquel, Jacó serviu durante sete anos, que para ele pareceram apenas poucos dias, "tão grande era o amor que ele tinha por ela". Ao interpretar essa história em *The Man Who Wrestled with God: Light from the Old Testament on the Psychology of Individuation* [O homem que lutou com Deus: uma luz do Velho Testamento sobre a psicologia da individuação], John Sanford comenta:

> O fato de que Jacó pôde se apaixonar mostra que um certo grau de crescimento psicológico aconteceu enquanto ele realizava sua

jornada pela natureza selvagem. Até então, a única mulher em sua vida tinha sido sua mãe. Enquanto um homem permanece num estágio de desenvolvimento psicológico em que a mãe é a mulher mais importante para ele, ele não pode amadurecer como homem. O Eros de um homem, sua capacidade de amar e de se relacionar, deve ser libertado do apego à mãe, deve ser capaz de se estender a uma mulher que seja sua contemporânea; do contrário, ele permanece uma pessoa exigente, dependente, infantil.

Aqui, Sanford está falando de uma dependência negativa, que não é o mesmo que o apego saudável. Homens que são apegados de forma positiva à mãe são capazes de equilibrar esse vínculo, negociando dependência e autonomia, e podem estendê-lo para laços afetivos com outras mulheres. De fato, a maioria das mulheres sabe que um homem que ama verdadeiramente sua mãe é mais propenso a ser um amigo, um companheiro ou um colega melhor do que aqueles que sempre foram abertamente dependentes da mãe, esperando que ela atenda incondicionalmente a todas as suas necessidades. Uma vez que o amor verdadeiro exige um reconhecimento da nossa autonomia e da autonomia da outra pessoa, um homem que amou na infância já aprendeu práticas saudáveis de individuação. Ao trabalhar por Raquel, fazendo escolhas erradas e tomando decisões difíceis, Jacó cresce e amadurece. Quando eles se casam, ele é capaz de ser um companheiro amoroso.

Conhecer sua alma gêmea não significa o fim da jornada de Jacó em direção à integridade e à autorrealização. Quando recebe a mensagem de Deus dizendo que deveria regressar para o lugar de onde fugiu, ele deve mais uma vez viajar pela terra selvagem. Repetidamente, sábios professores espirituais compartilham conosco a compreensão de que a jornada em direção à autorrealização e ao crescimento espiritual é árdua, cheia de desafios. É comum que ela seja difícil do começo ao fim. Muitos de nós acreditamos que nossas dificuldades vão terminar quando encontrarmos uma alma gêmea. O amor não acaba com as dificuldades; ele nos dá os meios para lidar com elas de maneiras que aprimoram o nosso crescimento. Por ter trabalhado e esperado pelo amor, Jacó se tornou psicologicamente forte. Ele convoca essa força quando deve ingressar na terra selvagem mais uma vez para voltar para casa.

Uma voz divina leva a Jacó a mensagem de que ele deve voltar para a terra de seus ancestrais. Como um homem que aprendeu a amar, Jacó intuitivamente pede por orientação. Ele ouve o que seu coração diz. Quando a resposta vem, ele age. Desde que saíra de casa pela primeira vez, por causa dos conflitos com seu irmão Esaú, a perspectiva de regressar era assustadora. No entanto, ele precisa ficar cara a cara com seu passado e buscar a reconciliação, se quiser conhecer a paz interior e se tornar totalmente maduro. Em sua longa jornada para casa, Jacó conversa com Deus continuamente. Ele reza. Ele medita. Buscando consolo em estar só, ele avança pela noite escura e caminha ao lado de um riacho. Ali, um ser que ele não reconhece totalmente trava uma luta com ele. Sem saber, Jacó recebeu o presente de se encontrar com um anjo.

Confrontando seus medos, seus demônios, seu *self* sombrio, Jacó renuncia a seu desejo de segurança. Psicologicamente, entra numa noite primordial e volta para um espaço psicológico em que ainda não está totalmente desperto. É como se ele se tornasse uma criança no útero novamente, lutando para renascer. O anjo não é um adversário que tenta tirar a sua vida;

em vez disso, ele vem como uma testemunha que lhe permite perceber que existe alegria na luta. Seu medo é substituído por uma sensação de calma. Em *Soul Food: Stories to Nourish the Spirit and the Heart* [Comida da alma: histórias para alimentar o espírito e o coração], Jack Kornfield e Christina Feldman afirmam que nós também podemos escolher a serenidade no meio da luta:

> Nessa calma, começamos a entender que a paz não é o oposto do desafio e da dificuldade. Entendemos que a presença da luz não é resultado do fim da escuridão. A paz é encontrada não na ausência de desafios, mas em nossa capacidade de estar em dificuldade sem julgamento, preconceito e resistência. Descobrimos que temos energia e fé para nos curar e para curar o mundo estando de coração aberto nesse movimento.

Conforme Jacó abraça seu adversário, ele se move em meio à escuridão, em direção à luz.

Em vez de deixar o anjo partir quando a luz chega, Jacó pede e recebe uma bênção. É significativo que ele não possa receber a bênção sem antes abandonar o medo e abrir o coração para ser tocado pela graça. Sanford observa:

> Jacó se recusa a terminar sua experiência até conhecer o seu significado, e isso o marcou como um homem de grandeza espiritual. Toda pessoa que se bate com sua experiência espiritual e psicológica e, não importa quão escura ou assustadora ela seja, se recusa a deixá-la de lado até descobrir seu significado, está vivenciando parte da experiência de Jacó. Essa pessoa pode emergir de sua luta na escuridão, do outro lado, renascida, mas quem bate

em retirada e foge desse encontro com a realidade espiritual não pode ser transformado.

Deveria nos tranquilizar que a bênção concedida a Jacó pelo anjo venha na forma de um ferimento.

Ser ferido não é motivo de vergonha, é necessário para o crescimento e o despertar espirituais. Consigo me lembrar de como me parecia estranho na infância, quando lia essa história repetidamente em meu grande livro de histórias bíblicas para crianças, que ser machucado pudesse ser uma bênção. Para minha mente infantil, um ferimento era sempre negativo. Ser incapaz de se proteger de ferimentos provocados pelos outros era motivo de vergonha. Em *Coming Out of Shame: Transforming Gay and Lesbian Lives* [Sair do armário da vergonha: transformando a vida de gays e lésbicas], Gershen Kaufman e Lev Raphael argumentam:

> A vergonha é a emoção mais perturbadora que experimentamos diretamente em relação a nós mesmos, pois no momento da vergonha nos sentimos profundamente divididos internamente. A vergonha é como uma ferida provocada por uma mão invisível, uma reação à derrota, ao fracasso ou à rejeição. No mesmo momento em que nos sentimos desconectados ao máximo, desejamos abraçar a nós mesmos mais uma vez, nos sentirmos restaurados. A vergonha nos divide de nós mesmos, assim como nos separa dos outros, e, porque ainda ansiamos pela união, a vergonha é profundamente perturbadora.

A vergonha de ter sido ferido impede muitas pessoas de buscarem a cura. Elas preferem negar ou reprimir a realidade da dor. Em nossa cultura, ouvimos muito sobre a culpa, mas não o bastante sobre a política da vergonha. Enquanto sentirmos vergonha, nunca seremos capazes de acreditar que somos dignos de amor.

Frequentemente, a vergonha de termos sido feridos tem origem na infância. É então que muitos de nós aprendemos pela primeira vez que é uma virtude se calar em relação à dor. Em *Banished Knowledge: Facing Childhood Injuries* [O conhecimento banido: encarando feridas da infância], a psicanalista Alice Miller afirma:

> Não levar o próprio sentimento a sério, torná-lo mais leve ou até mesmo rir dele, em nossa cultura, é considerado bons modos. Essa atitude é até mesmo chamada de virtude, e muitas pessoas (inclusive eu mesma, em certa época) se orgulham de sua falta de sensibilidade em relação ao próprio destino e, acima de tudo, em relação à própria infância.

Conforme mais pessoas encontram coragem para romper com a vergonha e falar das mágoas em sua vida, nós agora estamos sujeitos a uma resposta cultural maldosa, em que toda conversa sobre ser ferido é recebida com zombaria. Minimizar a tentativa de qualquer um de nomear o contexto no qual foi ferido, no qual foi transformado em vítima, é uma forma de constrangimento. É terrorismo psicológico. O constrangimento parte nosso coração.

Todos os indivíduos que estão verdadeiramente em busca do bem-estar dentro de um contexto curativo percebem que, nesse processo, é importante não transformar a condição de vítima em motivo de orgulho ou em um local a partir do qual se possa simplesmente culpar os outros. Precisamos falar de nossa vergonha e de nossa dor corajosamente para nos recuperarmos. Abordar o que nos feriu não é culpar os outros; contudo, isso permite que os indivíduos que foram e estão sendo machucados insistam no reconhecimento e na responsabilidade vindos de si próprios e dos que foram os agentes de seu sofrimento, assim como dos que o testemunharam. A confrontação construtiva ajuda em nossa cura.

A história da confrontação de Jacó com o anjo é uma narrativa de cura precisamente porque mostra que ele é inocente. Ele não fez nada para enfurecer o anjo. Não foi ele quem provocou o conflito. Ele não é responsável. E ele não deve ser culpado por seu ferimento. Contudo, a cura acontece quando ele é capaz de acolher a ferida como uma bênção e assume a responsabilidade por seus atos.

Todos somos feridos em alguns momentos. Boa parte de nós permanecemos feridos nos espaços onde deveríamos conhecer o amor. Carregamos essa ferida da infância para a vida adulta e até a velhice. A história de Jacó nos lembra que aceitar nossa ferida é a única forma de nos curarmos. Ele aceita sua vulnerabilidade. Kornfield e Feldman nos recordam que o momento em que somos tocados pela dor e pela "imprevisibilidade das mudanças da vida" é o momento em que podemos encontrar a salvação:

> À medida que nos voltamos para as sombras específicas em nossa vida com o coração aberto e a mente clara e focada, deixamos de resistir e começamos a compreender e a nos curar. Para fazer isso, precisamos aprender a sentir profundamente, não tanto abrindo os olhos, mas abrindo nossa percepção interna da mente e do coração.

Quando Jacó luta com o anjo, ele sente uma percepção elevada de consciência. Encarar sua luta lhe dá a coragem de perseverar em sua jornada de volta para confrontar os conflitos e se reconciliar com eles, em vez de viver em alienação e distanciamento.

Como país, precisamos reunir nossa coragem coletiva e encarar que o desamor em nossa sociedade é uma ferida. Ao nos permitirmos reconhecer a dor dessa ferida quando ela perfura nossa carne e sentir nas profundezas de nossa alma uma angústia profunda do espírito, passamos a ficar frente a frente com a possibilidade de conversão, de termos uma transformação em nosso coração. Desse modo, o reconhecimento da ferida é uma bênção, porque somos capazes de cuidar dela, de cuidar da alma de formas que nos deixam prontos para receber o amor que nos é prometido.

Os anjos nos trazem o conhecimento de como devemos prosseguir no caminho do amor e do bem-estar. Vindo a nós tanto em forma humana quanto em puro espírito, eles nos guiam, instruem e protegem. Alice Miller escolheu chamar a força angelical na vida de um indivíduo de "testemunha iluminada". Para ela, tratava-se, particularmente, de qualquer indivíduo que oferecesse esperança, amor e orientação para uma criança ferida em qualquer ambiente disfuncional. A maioria das pessoas que vêm de uma família conflituosa ou de ambientes sem amor se lembra de indivíduos que ofereceram simpatia, compreensão e, às vezes, uma saída. Ao falar sobre a "infância infeliz" de sua mãe, Hillary Clinton se lembra de que "outros, fora do círculo da família, intervieram, e sua ajuda fez toda a diferença". Da infância em diante, descobri muitos dos meus anjos nos meus autores preferidos, escritores que criaram livros que me permitiram entender a vida com mais complexidade. Essas obras abriram meu coração para a compaixão, o perdão, a compreensão. Em *Are you Somebody? The Accidental Memoir of a Dublin Woman* [Você é alguém? Memórias acidentais de uma mulher dublinense], a jornalista irlandesa Nuala O'Faolain escreve sobre a natureza salvadora dos livros, afirmando: "Se não houvesse mais nada, ler — obviamente — seria algo pelo qual valeria a pena viver".

A escrita autobiográfica do poeta alemão Rainer Maria Rilke transformou minha percepção de identidade na adolescência. Numa época em que eu me sentia deslocada, indigna e indesejada, sua obra me permitiu ver o fato de ser uma *outsider* como um lugar de criatividade e possibilidade. No último capítulo das minhas memórias de infância, *Bone Black* [Carvão de osso], escrevi:

> Rilke dá sentido à selvageria de espírito em que estou vivendo. Seu livro é um mundo no qual entro e me descubro. Ele me diz que tudo de terrível é realmente algo indefeso que deseja a nossa ajuda. Leio *Cartas para um jovem poeta* várias vezes. Estou me afogando e essa é a jangada que me leva em segurança para a margem.

Ganhei esse livro de presente num retiro espiritual. Lá, conheci um padre que trabalhava como capelão numa faculdade dos arredores. Ele era um dos palestrantes convidados. Intuindo a profundidade do meu desespero, ele me ofereceu consolo. Eu estava na adolescência e tinha começado a sentir como se não fosse capaz de continuar vivendo. Desejos suicidas dominavam meus pensamentos, quando estava acordada, e tinha pesadelos. Eu acreditava que a morte me libertaria da tristeza imensa que pesava sobre mim.

Ouvindo testemunhos espirituais no retiro, senti ainda mais sofrimento. Eu não conseguia entender como todos os outros podiam se sentir elevados pelo espírito divino enquanto eu me sentia mais e mais sozinha, como se estivesse caindo num abismo sem esperança de ser resgatada. Nunca perguntei ao padre B. o que ele viu quando olhou para mim ou por que fui escolhida entre os indivíduos que ele selecionou para aconselhamento espiritual. Ele tocou a minha alma, oferecendo para mim (e para todos com quem se conectou) um espírito amoroso. Na sua presença, eu me senti escolhida, amada. Como ocorre com muitos anjos terrenos que nos visitam e tocam a nossa vida com seu poder visionário e sua sabedoria curativa, nunca mais o encontrei. No entanto, nunca esqueci sua presença e os presentes que ele me deu — dons do amor e da compaixão ofertados livremente.

A presença de anjos, de espíritos angelicais, nos recorda que existe um reino de mistério que não pode ser explicado pelo intelecto e pela vontade humana. Todos nós experimentamos esse mistério em nosso dia a dia de diversas formas, mesmo que pequenas, quer nos vejamos como "espiritualizados" ou não. Nós nos vemos no lugar certo e na hora certa, prontos e capazes de receber bênçãos sem saber como fomos parar ali. Frequentemente olhamos para os eventos em retrospecto e podemos traçar um padrão que nos permite reconhecer intuitivamente a presença de um espírito invisível guiando e direcionando o nosso caminho.

Quando eu era garota, ficava deitada em minha cama no sótão e falava sem parar com o espírito divino sobre a natureza do amor. Na época, eu não imaginava que um dia teria coragem de falar sobre o amor sem a proteção solitária do sigilo ou da noite. Como Jacó, vagando sozinho à margem do riacho, na calma de meu quarto escuro como breu, eu me pegava com a metafísica do amor, tentando entender seu mistério. Esse tatear continuou até que a minha consciência se intensificou e me veio uma nova visão do amor. Agora reconheço que, desde aquela época até agora, estive envolvida numa prática espiritual disciplinada: abrir o coração. Isso me levou a me tornar uma seguidora devota do caminho do amor — a falar cara a cara com os anjos, sem medo.

Compreender todas as formas pelas quais o medo atravessa nosso caminho em direção a conhecer o amor é um desafio. Com temor de que acreditar nas verdades do amor e deixar que guiem nossa vida nos levará a mais traição, nos afastamos do amor quando nosso coração está cheio de desejo. Sermos amorosos não significa que não seremos traídos. O amor nos ajuda a encarar a traição sem perder nosso coração. E isso renova nosso espírito, para que possamos amar novamente. Não importa quão dura ou terrível seja nossa vida, ao rejeitar o desamor — ao escolher o amor — podemos ouvir as vozes da esperança que falam ao nosso coração — as vozes dos anjos. Quando os anjos falam de amor, eles nos falam que apenas amando adentramos um paraíso terreno. Eles nos dizem que o paraíso terreno é nosso lar, e o amor, nosso verdadeiro destino.

bibliografia selecionada

ACKERMAN, Diane. *A Natural History of Love*. Nova York: Random House, 1994. [Ed. bras.: *Uma história natural do amor*. Rio de Janeiro: Bertrand Brasil, 1997.]

BIELECKI, Tessa. *Holy Daring: Conversations with St. Teresa, the Wild Woman of Avila*. Shaftesbury: Element Books, 1994.

KORNFIELD, Jack. *A Path with Heart*. Boston: Shambhala Publications, 1994. [Ed. bras.: *Um caminho com o coração: como vivenciar a prática da vida espiritual nos dias de hoje*. São Paulo: Cultrix, 2012.]

MERTON, Thomas. *Love and Living*. Nova York: Commonweal Publishing, 1997.

NOUWEN, Henri. *The Inner Voice of Love*. Nova York: Doubleday, 1996. [Ed. bras.: *A voz íntima do amor: uma jornada através da angústia para a liberdade*. Rio de Janeiro: Paulinas, 1999.]

PALMER, Parker. *The Active Life*. Nova York: HarperCollins, 1990. [Ed. bras.: *Vida ativa: nossa jornada num mundo de criatividade, espiritualidade e ação*. São Paulo: Cultrix, 1998.]

PECK, M. Scott. *The Road Less Traveled*. Nova York: Simon & Schuster, 1978. [Ed. bras.: *A trilha menos percorrida: uma nova visão da psicologia sobre o amor, os valores tradicionais e o crescimento espiritual*. Rio de Janeiro: Nova Era, 2008.]

SALZBERG, Sharon. *A Heart as Wide as the World: Stories on the Path of Lovingkindness*. Boulder: Shambhala Publications, 1997.

VIORST, Judith. *Necessary Losses*. Nova York: Simon & Schuster, 1986. [Ed. bras.: *Perdas necessárias*. São Paulo: Melhoramentos, 2019.]

WELWOOD, John. *Love and Awakening: Discovering the Sacred Path of Intimate Relationship*. Nova York: Harper Perennial, 1996.

WILLIAMSON, Marianne. *The Healing of America*. Nova York: Simon & Schuster, 1977.

bell hooks nasceu em 1952 em Hopkinsville, então uma pequena cidade segregada do Kentucky, no sul dos Estados Unidos, e morreu em 2021, em Berea, também no Kentucky, aos 69 anos, depois de uma prolífica carreira como professora, escritora e intelectual pública. Batizada Gloria Jean Watkins, adotou o pseudônimo pelo qual ficou conhecida em homenagem à bisavó, Bell Blair Hooks, "uma mulher de língua afiada, que falava o que vinha à cabeça, que não tinha medo de erguer a voz". Como estudante passou pelas universidades Stanford, de Wisconsin e da Califórnia, e lecionou nas universidades Yale, do Sul da Califórnia, no Oberlin College e na New School, entre outras. Em 2014, fundou o bell hooks Institute. É autora de mais de trinta obras sobre questões de raça, gênero e classe, educação, crítica cultural e amor, além de poesia e livros infantis, das quais a Elefante já publicou *Olhares negros*, *Erguer a voz* e *Anseios*, em 2019; *Ensinando pensamento crítico*, em 2020; *Tudo sobre o amor* e *Ensinando comunidade*, em 2021; *A gente é da hora*, *Escrever além da raça* e *Pertencimento*, em 2022; *Cultura fora da lei* e *Cinema vivido*, em 2023; *Salvação* e *Comunhão*, em 2024; e *A vontade de mudar*, em 2025.

© Elefante, 2021
© Gloria Watkins, 2021

Título original:
All About Love: New Visions, bell hooks
© All rights reserved, 2000
Authorized translation from the English language edition published by Harper Perennial, a member of the HarperCollins Group LLC.

Primeira edição, janeiro de 2021
Décima sétima reimpressão, junho de 2025
São Paulo, Brasil

Dados Internacionais de Catalogação na Publicação (CIP)
Angélica Ilacqua CRB-8/7057

---

hooks, bell, 1952-2021
Tudo sobre o amor: novas perspectivas / bell hooks; tradução Stephanie Borges. São Paulo: Elefante, 2021.
  272 p.

ISBN 978-65-87235-24-0
Título original: All about Love

1. Amor 2. Amor – Aspectos sociais 3. Ética 4. Ética feminista I. Título II. Borges, Stephanie

| 20-4663 | CDD 306.7 |

Índices para catálogo sistemático:
1. Amor: Aspectos éticos e sociais

---

elefante

editoraelefante.com.br
contato@editoraelefante.com.br
fb.com/editoraelefante
@editoraelefante

tipografia H.H. Samuel & Calluna
papel Cartão 250 g/m² & Lux Cream 60 g/m²
impressão Ipsis